はじめに

～迷い子から始まるアンソロジー～

皆さんはこれまでどのような本と出会いましたか。

大学で「児童文学論」の講義を受けている学生にこれまでに読んで印象に残った児童文学作品を紹介してもらいました。どの作品も一人一人にとって忘れがたく、そして、今でも心に残っている作品です。印象的だったのは、書籍を紹介する友人学生の発表を聞きながら、共感的に大きくうなずいている姿です。一冊の本が心に残り、それを他の人もまた自分の幼少期を思い起こす宝物を見つけたような思いで見出していることでした。こうした発表とその交流により、作品に対する思いが重ねられ、さらに新しい読書の道が開かれていくのです。一冊の本が人生を新たなものとして広げてくれる役割を果たしていることが分かります。

今回、高校生の皆さんにお示ししようとするのは、小中高等学校の国語科教科書の教材を始め、印象に残った作品を基にした一種の思索のためのアンソロジーです。

一つ一つの作品をもとにして、その作品から連想されるテーマの関係性に思いをはせながら、作品世界が網の目のように広がったり、深まったりしていく様子を感じ取ってほしいと思います。

読書や探究は一本の道を真っすぐに歩いていくばかりではありません。あるときには道端の小さな花に誘われるように小道に逸れたり、アリの歩みを見ながら一緒になって歩いてみたり、雨に降られそうになったらバス停の中で雨やみを待つことなどもたのしい思いに連なるかもしれません。

それでは、まず、「迷い子」から始まる旅に出てみましょう。

いつか、あるいは、今、皆さん一人一人が、自分だけの思索の旅となる心のアンソロジーを編むときが来ているのかもしれません。

髙橋正人

高校生のための思索ノート

～アンソロジーで紡ぐ思索の旅～

目次

装画　大塚貴士
『アルギースの彼方へ』

新美南吉作・黒井健絵（1986）
『ごんぎつね』（偕成社）

1 是枝裕和「ヌガー」と迷い子体験

映画監督の是枝裕和「ヌガー」は秀逸な作品です。誰でも一度は経験する「迷い子」体験を通して様々なことを思い起こさせるとともに、深い思索に誘ってくれます。

冒頭部分は、次のように表現されています。味わいながら読んでみてください。


迷い子になった。

僕が6歳か7歳の時だったと思う。母とふたりで買いものに出掛けた帰り途。乗り慣れた東武東上線の電車の中での出来事だった。車窓の風景を見るのが何より好きだった僕は、座っている母から少し離れたドアの前に立ち、夕暮れの街並みを目で追っていた。風景が止まり、又動き出す、その繰り返しに夢中になっていた僕は視界から遠ざかっていく「下赤塚」という駅名に気付いて凍りついた。それは僕たちが降りるはずの駅だった。あわてて車内を振り返ったが、母の姿は既にそこには無かった。あとになってわかったことだが、乗降客の波に一瞬僕を見失った母は、下赤塚で降りた別の少年を僕と見間違い、改札の外まで追い掛けてしまったらしい。

最初の一文には二つの異なった時間が内包されています。一つは、当事者として「今まさに」迷い子になっている状況下における主体認識を伴った時間であり、もう一つは、すでに事態からは脱した状況下においてその時点を振り返り回想し総括的に事態を俯瞰している主体が客観的に認識する時間です。この二つは対立的に他を排除し合う関係であるというより、相互乗り入れを可能とする往還的な構造を有していると言えます。「迷い子」という出来事は一つの経験という枠を超えて、〈世界〉に対する見方を先取りする形で総括されているのです。

また、述部の「なった」という表現は、現在からの眼差しの下で出来事を振り返る回想的・遡及的な視座とそれによって生じた事態について、それらを自己を取り巻く〈世界〉として捉え、確認する意識を喚起する表現となっています。

なお、この一文には主語が明示されておらず、英語では一般的には、"I got lost."と表現されるはずの文が、日本語特有の主語無表記で叙述されることにより、最終的には個人的な体験が一般化される可能性を残しているのです。

また、「途方に暮れて」という表現は、自分の置かれた状況における認識を言語化したものとして用いられており、その時点で感知した〈世界〉をメタ的に認識し振り返る視座を持っています。「途方」つまり「向かうべき方向」を喪失するという〈世界〉に対する空間的認識の中で、自己のあるべき空間がこれまでの〈世界〉とは全く異なる相貌をもって迫ってくることへの恐怖感や違和感が表現されているのです。僕が置かれた状況の中で重要なことは、自己を取り巻く〈世界〉の在り様の瞬時の変容と、自己を取り巻く新たな〈世界〉の顕現、さらにはそこから生じる〈世界〉との隔絶感と言い換えてもいいでしょう。

　作品では、このあと、駅員がお菓子を握らせてくれます。そのお菓子がヌガーです。ヌガー（nougat）は、幼少期の僕にとって珍しいものであったと想像されますが、「迷い子」の記憶とヌガーとが分かちがたく結び付いていることに注目したいです。

是枝裕和（2004）『あの頃のこと Every day as a child』（ソニー・マガジンズ）

　原初的な感覚である皮膚感覚あるいは嗅覚や味覚は、普段は記憶の貯蔵庫の深部に潜んでいますが、ある手掛かりやきっかけを通して不意にその貯蔵庫から立ち上がってきます。ここで着目したいのは迷い子になった僕の記憶に残る味覚です。

　味や匂いが自伝的記憶を想起させる上で有効に機能していることに関連して、関口・森田・雨宮（二〇一四、三九頁）は、ふと浮かぶ記憶に関する「プルースト現象」について、「匂いとの遭遇時にそれに関連した過去の出来事の記憶がありありと想起される現象は、作家マルセル・プルーストによって極めて印象的に記述されたことから、一般的にプルースト現象（Proust phenomenon）と呼ばれている」と指摘しています。

皆さんも、自分の幼児期の体験から人生のすべてを象徴するような出来事を掘り起こしてみてはいかがでしょうか。

【参考文献】

是枝裕和（二〇〇四）「ヌガー」（『あの頃のこと Every day as a child』ソニー・マガジンズ）
関口貴裕・森田泰介・雨宮有里編著（二〇一四）『ふと浮かぶ記憶と思考の心理学―無意図的な心的活動の基礎と臨床―』（北大路書房）
プルースト作・吉川一義訳（二〇一〇）『失われた時を求めて1 スワン家のほうへI』（岩波書店）

2 『神様2011』と東日本大震災

東日本大震災は十年を経た今でも、そして、今後も私たちの生活に影響し続けることが予測されます。さらに、COVID－19に苦しめられている日常があります。

川上弘美『神様２０１１』は、デビュー作である『神様』をもとに、東日本大震災発災直後に書かれた作品です。くまとの交流を通して日常の在りようが大きく変貌を遂げている状況の中で時代を超えた人の在り方に対する示唆に富んだ内容の作品です。物語は次のように始まります。

　くまにさそわれて散歩に出る。川原に行くのである。春先に、鴫を見るために、防護服をつけて行ったことはあったが、暑い季節にこうしてふつうの服を着て肌をだし、弁当まで持っていくのは、「あのこと」以来、初めてである。散歩というよりハイキングといったほうがいいかもしれない。

そして、くまと川原に到着した場面は次のように記されています。

遠くに聞こえはじめた水の音がやがて高くなり、わたしたちは川原に到着した。誰もいないかと思っていたが、二人の男が水辺にたたずんでいる。「あのこと」の前は、川辺ではいつもたくさんの人が泳いだり釣りをしたりしていたし、家族づれも多かった。今は、この地域には、子供は一人もいない。

当初、「誰も」いないことを想定していたこと自体が『神様』における状況との差異を示しており、さらに、「今は」と限定した状況の中で「あのこと」を境に激変した状況が描かれています。しかも、「この地域」という表現からは、わたしの認識において「川辺」のみならず「地域」そのものの広がりとしての変化の度合いが示されているのです。

こうした変化はくまとわたしとの間にある関係にも影響を与えており、『神様』から『神様2011』までの径庭は極めて大きいと言わざるを得ません。つまり、『神様』におけるくまとわたしとを包み込む現実世界が、日常と非日常とのあわいに存在しているとすると、『神様2011』における現実世界は、それらをさらに包み込んで、日常世界が突如崩壊し、非日常世界へと転化するとともに、時間スケール自体が日常を象った〈朝―昼―夜〉などの時間サイクルを超越した〈事故以前―事故―事故直後―事故後〉、さらにそれを具体的に言えば〈汚染前―汚染―汚染除去過程―汚染除去終了〉という二重構造になっているとともに、人間にとって現実認識ができない《超―人類史的》な時間スパンの中に取り込まれてしまった現実を活写していると言えます。

川上弘美（2011）『神様2011』（講談社）

ここでは、〈人間〉〈くま〉〈神様〉が三者三竦みの状態に相を変えるとともに、三者の相互の関係が、序列の比較的緩やかな水平的な関係から超越的な存在を頂点とする垂直的な関係乃至階層的な関係へと再構成されます。そして、「ウランの神様」の怒りを買った人類にとって逃れるべき《地》はなく、仮に逃れるとしても、それは一時的でしかなく、時間的にも空間的にも確実に逃れ去る術を人類は有していないという現実から、「ウランの神様」からの永遠の追放宣言を受けることになるのです。

人々が逃れ去った地は、不毛の地として時が停止した状態を余儀なくされることになります。ここに描かれているのは絵空事ではありません。現に、震災後十年を閲した令和三年（二〇二一）年三月時点においても、福島県内外での避難者が二万人を超えているという紛れもない事実が影響の大きさを物語っています。

この作品では、むしろ現実が想像世界を凌駕し、超越しており、現実が寓意に接近するという転倒が行われているのです。現実が現実を超えているがゆえに、その現実の実体すら我々は真に「知る」ことができず、廃炉に向けた取組みの全体は計画の端緒に辿り着いたにすぎず、中間貯蔵施設は永遠ともいえる時間の中で《中間》という時間を人類史の中で継続せざるを得ないという過酷な現実をその言葉に含ませながら、永遠に向けて「先延ばし」するしかないリアルがここに横たわっているのです。

なお、『神様』と『神様２０１１』を比較しながら読むことによって、作品の持つ意味を深めることもできます。ぜひ、挑戦してみてください。

【参考文献】 木村朗子（二〇一三）『震災後文学論』（青土社）

木村朗子（二〇一八）『その後の震災後文学論』（青土社）

清水良典（二〇一六）「くまと『わたし』の分際」（『デビュー小説論―新時代を創った作家たち』講談社）

3 『貝に続く場所にて』と〈距離〉

東日本大震災から十年の年月が過ぎましたが、震災に関わる記憶は薄れることなく一人一人に残されています。第百六十五回芥川賞受賞作品である石沢麻依『貝に続く場所にて』は、東日本大震災を起点とした新たな作品の一つであり、ドイツの都市ゲッチンゲン（月沈原）を舞台に、東日本大震災で亡くした野宮への思いを静謐な文体で描いた秀作です。東日本大震災、行方不明者、忘却、復興、トラウマ、都市、太陽系の惑星模型、聖女、持物（アトリビュート）、西洋美術、遠近法、距離感、記憶、身体など多岐にわたるモチーフに関わる省察が濃密な世界を現出させています。作品では寺田寅彦と思しき人物も登場し、師である夏目漱石の作品も織り込まれており、一種の幻想小説として読むことも可能です。

東日本大震災における死と西洋絵画における巡礼や聖者の持物（アトリビュート）にまつわる記憶と身体の関係などが、的確な描写と豊富な比喩によって描かれており、豊饒な世界観を現出させ深く読み味わうことができる作品です。今後、高等学校の教科書に掲載される可能性が高いと私は考えています。

次の叙述には、東日本大震災発災の時刻「午後二時四十六分」という「あの時」が組み込まれています。

> 記憶の痛みではなく、距離に向けられた罪悪感。その輪郭を指でなぞって確かめて、野宮の時間と向かい合う。その時、私は初めて心から彼の死を、還ることのできないことに哀しみと苦しみを感じた。九年前の時間が音を立てて押し寄せる。私はその感覚に振り回されないよう、遠くに目を向けたまま、彼の土地を訪れたことを短く語った。遠くから眺めた海。青を潜ませ灰に光をまぶし瞬きを繰り返すもの。海を見ましたが、〈アレクサンダー大王の戦い〉の情景の青は見ることは叶いませんでした。そう言うと、それは残念、と野宮は声を上げて笑い出す。その声は、静まり返った夏の空気に静かにひびを入れた。
>
> 午後二時四十六分、と野宮は呟く。静かな透明な声。遠近法の消失点が置かれた時間。引き裂かれた時と場所を想う。私は塔の上から街を眺め、そこにアルトドルファーの絵を重ねる。私の眼差しは鳥の形となって、上と下に広がる二つの青の面に向けられる。飛ばずに見続けて、固定した視点で私はなだれ込む色彩の動きと深まる青を見て、同時に離れて繋がる遠い海の情景をも重ねる。野宮の静かな気配は、空と海の青の中に溶け込むように薄れてゆく。私には振り返り、確認することはできない。幾重にも幾重にも記憶と時間を結びつけたつぎはぎの記憶の襞に、その気配もまぎれて遠ざかっていった。そこに還ることを願うという祈りは、見えない糸となって記憶を固定した。野宮は、もうそこにいないの

石沢麻依（2021）『貝に続く場所にて』（講談社）

かもしれない。手の中の歯はちりちりと小さくぶつかり合う。その音は、嘆きに似たものとして皮膚を通して耳にも響いてくる。耳元を吹き抜ける風は、遠く紙の騒めきをはらんでいた。透明に覆い被さった光景は、私の見ることの叶わなかった遠く呼応する青の世界。隔たった場所からこちらに向かって、青が通り抜けてゆく。私は鳥の視線を固定したまま、二つの青を重ねて重ね続け、そしてそれが消えるのを待つ。（一五〇頁～一五一頁）

ぜひ、一読をお勧めしたいと思います。友人とともに、ドイツの都市について実際に調べたり、作中で野宮が卒業論文の研究テーマとして選んだアルブレヒト・アルトドルファー「アレクサンダー大王の戦い」などの絵画作品についても探究してみることで、作品の理解を深めていきたいものです。

作品の舞台となっているゲッティンゲンに関連して、中祢勝美氏（二〇一六）はシャンソン歌手・バルバラが歌う「ゲッチンゲン」を独仏交流の事例として論じていますが、ゲッティンゲンなどの地名からその土地の文化と歴史を読み解くことも重要になります。この作品においても、ドイツはもとより、仙台、二の倉海岸、石巻、気仙沼など東北地方の地名が重要なモチーフとなっています。とりわけ航空機から俯瞰した仙台東道路を隔てて津波被害の有無が截然と分かれている叙述などは、土地の持つ表象を的確に描いていると言えます。

皆さんも、日ごろから創作などを試みながら、文学賞受賞を目指すことも楽しい挑戦になるかもしれませんね。

【参考文献】 石沢麻依（二〇二一）『貝に続く場所にて』（講談社）
中祢勝美（二〇一六）「バルバラの『ゲッティンゲン』（1）―「独仏和解の歌」とその成立―」（『天理大学学報』第六八巻第一号）

4 『夢十夜』における痛みと記憶

漱石の『夢十夜』は、これまで文学的アプローチ、心理学的アプローチ、文明論的アプローチなど多くの視点から分析・解釈が施されてきました。

『夢十夜』における表現を考える上で、動詞の「時制」に着目することは、作品の分析を行う上で重要な視点を与えてくれます。作品全体において中軸となる時制は「過去形」です。とりわけ「こんな夢を見た」という冒頭の一文で始まる第一夜、第二夜、第三夜、第五夜に端的に表されているように、『夢十夜』という作品が、「今、現在、見ている夢」を実況中継として語るというより、「かつて、過去に、見た夢」を回想的に語るという基本的な構造を有しており、夢から覚醒した「現在」を起点にして過去に向かって眼差しを向けることにより成立していることからもたらされる必然的な時制と言えます。

なお、十の夢の中で用いられている「過去形」は、神話的な時間スケールから現在に極めて近い「近接過去」に至るまで時間的な幅があります。

さらに、「過去形」とともに、「現在」や「未来」に関する表現も多く見られます。「過去」をベースとしながらも、その場に居合わせ「過去」と同化するかのように綴られる「現在形」及び「未来形」の使用が『夢十夜』という作品世界に臨場感をもたらし、時間的な奥行きを与え、作品に立体的な時空が創出されているのです。併せて、「時制（テンス）」とともに、「相（アスペクト）」に焦点を当てることにより、作品に込められた微妙なニュアンスを読み取ることが可能となります。

さらに、作品において身体に直接関わる感覚に関する動詞が、他の動詞とは異なって、異様に「瞬間性」や「直接性」あるいは「現在性」を際立たせていることに注目することが大切です。それは、他の動詞の持つ現在性とは隔絶されて作品の中に立ち上ってきます。例えば、「第二夜」には、次のような表現があります。

> 自分はいきなり拳骨を固めて自分の頭をいやと云ふ程擲つた。さうして奥歯をぎりぎりと嚙んだ。両腋から汗が出る。脊中が棒の様になつた。膝の接目が急に痛くなつた。膝が折れたつてどうあるものかと思つた。けれども痛い。苦しい。無は中々出て来ない。出て来ると思ふとすぐ痛くなる。腹が立つ。無念になる。非常に口惜しくなる。涙がぽろ〳〵出る。一と思に身を巨巌の上に打けて、骨も肉も滅茶々々に摧いて仕舞ひたくなる。（「第二夜」）

「痛い」という言葉で表現されている時間は、いつの時間なのか。どの時点で「痛い」という表現が提示されているのか。感覚の瞬間性からしたとき、「痛み」は持続したとしても、痛み続けている

近藤ようこ・漫画、夏目漱石・原作（2020）
『夢十夜』（岩波書店）

状況は現在の身体と極めて密接につながり、痛みの過去形とは異なり、あくまで「痛い」という現在に意識も身体も集中していることに注目する必要があります。

「見る」「聞く」「匂う」などの知覚動詞も一般動詞と比較して「現在性」が際立っていますが、ここにあるように「痛み」などの身体感覚を示す動詞は、感覚を受け止める身体と不可分の関係性によって感じている現在と切り離すことが不可能です。したがって、作品の中で「痛い」と表現している主体の時間と、現実の時間とはそこでは遊離していないと考えられます。とりわけ、「痛み」は原因となるものが除去されない限り持続することとなるわけです。もっとも、感覚の鈍化によって「痛み」を持続的に感じなくなるという場合もあり、持続している感覚が主体にとって苦にならなくなる場合も想定されます。

漱石の作品の中でも『夢十夜』は、高等学校国語科教科書にも掲載されてきており、一人一人が自分自身の「第十一夜」を創作することも今後の学習の一つとして考えることができます。その際、岩波現代文庫に収められている近藤ようこ・漫画、夏目漱石・原作（二〇二〇）『夢十夜』なども参考になりますので、一読してはいかがでしょうか。

夢の世界は、これまでも多くの作家や詩人、そして、評論家や科学者が考察を加えてきた領域です。今後も、夢は、宇宙や海洋など私たち生物の外側に広がる世界とともに、無限の可能性を秘めたフロンティアとして、大きな可能性を秘めた探究と創造の沃野を形成しています。

【参考文献】近藤ようこ・漫画、夏目漱石・原作（二〇二〇）『夢十夜』（岩波書店）
蓮實重彦（二〇一二）『夏目漱石論』（講談社文芸文庫）
夏目漱石（二〇一七）『定本 夏目漱石全集 第十二巻 小品』（岩波書店）

5 ごんをめぐる二つの〈喪〉

新美南吉の『ごんぎつね』は小学校四年のすべての教科書に掲載されており、いわば国民的教材と言うことができます。また、日本語版以外に外国語にも訳されています。『ごんぎつね』には様々なテーマが隠されており、高校生になって読み返してみたら、これまで考えてきたことをより深く探究することができます。

私は、大学院生と授業研究の一環として『ごんぎつね』を再読してから、その魅力に引き込まれてしまいました。そして、この作品にクラシック音楽の楽曲の通奏低音のように響き続けているテーマの一つが、死と〈喪〉ではないかと感じるようになりました。

次に掲げる文章は、ミシェル・ドゥギー著、梅木達郎訳（二〇〇〇）『尽き果てることなきものへ―喪をめぐる省察』の訳者の「あとがき」の一節です。

喪の言葉は死を裏切る――これは喪をめぐる周知の事実である。弔いの言葉は死者の不在を埋め、その忘却に手を貸し、死者の忘却そのものを忘却させるものとして働かずにはいないからだ。そもそも哀悼とは、死者が去って行くにまかせず、それをなんとか引き留めようとすると同時に、死者への愛着を徐々にあきらめ、清算し、生者の記憶の中で「死者をもう一度殺す」ことである。［…］喪に服するとは、「思い出」や「亡霊」を「呼び出すと同時に追い出す」ことだ。すぐに死者は、不当なほどすばやく、うち捨てられ、忘れ去られる。［…］ドゥギーにとって喪をやり抜くことは、喪を完結させてしまわないこと、忘却のプロセスに抵抗することであり、哀悼を「尽き果てることなきもの」たらしめることだ。

ミッシェル・ドゥギーの痛切な言葉の切れ切れに圧倒されるとともに、梅木氏が共感的に叙述しているように、〈喪〉は時の経過とともに忘却がなされるという抗いがたい力に抗するために必要な人間の営みでもあります。

ごんの死を前にした兵十にとって、母の死に伴う第一の〈喪〉とともに、ごんの死が忘却できないこととして現前することにより、くりを固めて置いていたごんの行為の持つ意味を〈読む〉という思索の時間が訪れます。

〈喪〉の時間は、ごんの死を読み解くための時間でもあり、ごんと〈ともに〉あること、つまり〈喪〉が引き続くことになるのです。そして、兵十の〈喪〉は個人のレベルで終結するのではなく、兵十自身の死後も共同体の中で継続していくわけです。その意味で、作品の冒頭部分の「これ（cette histoire）」の意味するところは、極めて重要な役割を果たしていると言うことができます。

小川洋子（二〇〇七）『物語の役割』（筑摩書房）

これは、わたしが小さい時に、村の茂平というおじいさんから聞いたお話です。

昔は、わたしたちの村の近くの、中山という所に、小さなお城があって、中山様というおとの様がおられたそうです。

その中山から、少しはなれた山の中に、「ごんぎつね」というきつねがいました。

『ごんぎつね』という物語は、ごんをめぐり連綿として続く〈喪〉と、〈喪〉を妨げ、人々の忘却を促す時の流れに抗して、ごんをめぐる死とそれを悼む者との物語を紡ぎ続け継承しようとする思いとが結晶化したものとして考えることができます。『ごんぎつね』を読んだあとには、「死」に向かって突き進むごんの姿とともに、結末が分かりながらも、読むたびに訪れる物語の哀しみが胸に残り続けるのかもしれません。その思いを、小川洋子氏は、次のように綴っています。

当時、絵本を読んでもらったり、すっかり暗唱して自分で読んだ気になったりしている時、一つ不思議に思うことがありました。［…］『ごんぎつね』で、前に働いた罪の償いのために、栗をこっそり運んであげていたきつねのごんが、またいたずらをしていると誤解されて、火縄銃で撃たれて死ぬところにお話が差し掛かると、必ず泣いてしまうのです。［…］ごんは死ぬと分かっていながら、「撃たないで」と叫ぶ。すると自然に涙が出てきて、土間に淋しく残された、ごんが取ってきた栗の一山の様子を想像して、たまらなく哀しくなったのです。

（小川洋子（二〇〇七）『物語の役割』（筑摩書房））

皆さんも、『ごんぎつね』の世界にもう一度浸ってみてはいかがでしょうか。新しい出会いがきっとありますよ。

【参考文献】 秋田喜代美ほか著（二〇二〇）『新しい国語 四下』（東京書籍）
小川洋子（二〇〇七）『物語の役割』（筑摩書房）
ミシェル・ドゥギー著、梅木達郎訳（二〇〇〇）『尽き果てることなきものへ―喪をめぐる省察』（松籟社）

6

『お手紙』～回復の物語～

小学校二年生の教科書にアーノルド・ローベル作「お手紙」があります。

この作品は、『ふたりは』シリーズの一つとして、がまくんとかえるくんをめぐるささやかな日常がユーモラスに、かつ、ほのぼのと描かれており、日本でも愛読者の多い作品です。大学生を対象として授業をすると、小学校での授業とは異なる反応を示すことが多く、大いに考えさせる物語です。特に、なぜ、かえるくんはがまくんに自分が書いた手紙の内容を届く前に知らせたのかが分からないという疑問点が出されています。これは小学校でも同様の反応がありますが、その他にも、足の遅いかたつむりくんになぜ手紙を届けてくれるように頼んだのかなど、子供の目線に立って読むことの楽しさを味わうことのできる作品でもあります。

注目したいのは、次の部分です。手紙を書き、かたつむりくんに託した後に、がまくんの家に「戻る」と、がまくんはベッドで昼寝をしています。このベッドの中という設定は、がまくんの状況を心理的に表現しているものとして捉えられます。つまり、一種の閉鎖空間に自分自身を潜り込ませることにより精神的安定を得ようとする心的防御です。一方、がまくんは、かえるくんに対しては攻撃性を持った言葉を発しています。


「がまくん。」

「きみ、おきてさ、おてがみが　くるのを　もう　ちょっと　まって　みたらいいと　おもうな。」

「いやだよ。」

「ぼく　もう　まって　いるの　あきあきしたよ。」

「がまくん。」

「ひょっとして　だれかが　きみに　てがみを　くれるかもしれないだろう。」

「そんな　こと　あるものかい。」

「ぼくに　てがみを　くれる　人なんて　いるとはおもえないよ。」

「でもね、がまくん。」

「きょうは　だれかが　きみに　おてがみ　くれるかもしれないよ。」

「ばからしいこと　いうなよ。」

「いままで　だれも　おてがみ　くれなかったんだぜ。　きょうだって、おなじだろうよ。」

「かえるくん、どうして　きみ　ずっと　まどの　そとを　見ているの。」

「だって、いま　ぼく　てがみを　まって　いるんだもの。」

「でも　きやしないよ。」

アーノルド・ローベル作、三木卓訳（1972）
『ふたりは ともだち』（文化出版局）

「きっと　くるよ。」

「だって、ぼくが　きみに　てがみ
だしたんだもの。」

「きみが？」

「てがみに　なんて　かいたの？」


この一連の会話は極めて示唆に富んだ内容です。とりわけ、「信念」といえるほどの強固さを有した手紙が来ないということに関する確信ががまくんの心には横たわっており、それは、一度の経験ではなく、日々更新されてきた手紙の不配達という事態に対する認知上の防御態勢を求めるものでもあります。この確信を揺るがすことは容易ではありませんが、かえるくんの同調行動が契機となって攻撃的な言葉が変化することになるのです。

しかも大切なことは、その変化をがまくん自身が認識していないということです。心的変化は確実に起こっており、それは「きみが？」という問いに結晶化しています。ここの疑問符は、手紙を他でもない、今、ここにいるかえるくん自身が書いたという事実を逆照射するとともに、手紙を書いたことが真実であることを確認するための問いになっており、がまくんに認知的な変化がもたらされたことの証左となります。
このように、作品を読んで生じる素朴な疑問を大切にすることが、読みを深めることにつながるのです。

【参考文献】
秋田喜代美ほか著（二〇二〇）『新しい国語 二下』（東京書籍）
永岡綾・大久保美夏編（二〇二一）『がまくんとかえるくんができるまで アーノルド・ロベールの全仕事』（ブルーシープ）
鷲田清一（二〇〇八）『「待つ」ということ』（角川学芸出版）
アーノルド・ロベール作／三木卓訳（一九七二）『ふたりは ともだち』（文化出版局）
Arnold Lobel. Frog and Toad Are Friends, Harper Collins Publishers.1970.

7 『モチモチの木』と〈峠〉

小学校の国語教科書には、様々な作品が教材として採られています。高校生にとって懐かしさが感じられる作品に、実は、深い考察を呼び覚ますものがあります。その一つが斎藤隆介の『モチモチの木』です。豆太の成長物語や豆太とじさまとの交流の物語、あるいは、豆太の勇気の物語などと捉えることも可能です。ちなみに英訳では『The Tree of Courage』とされています。

一方、作品の背景を考えたとき、『モチモチの木』は〈峠〉をめぐる物語と捉えることもできます。山の上りと下りの中間点であり、双方の頂点に位置する〈峠〉は、また、小屋とせっちん、うちの中とおもて、生理現象と社会的制御、峠と麓、生と死、健康な身体と身体的急変、動物と人間、狩猟するものと狩猟されるもの、狩猟者と被狩猟者、昼と夜、光と闇、食と排泄、忌避と退治、歓喜と恐怖、厳しさと恵み、大人と子供、男と女、神と人、普段と今夜、天上の星と地上の存在、俗と聖、自然界と人間界、動物と植物、クマと人、ハレとケ、日常食と祝祭餅、凡人と勇者、日常と非日常、一年と特異日、安寧と危機、霜月と師走、秋と冬など、事物を截然と分ける境界、あるいは、分水嶺を形成していると言えます。

さらに、五歳という年齢もまた、一種の分水嶺を形成していることに留意したいと思います。幼児教育の分野では、成長の著しいこの年齢を「五歳児革命」と称しています。冒頭は次のように表現されています。

まったく、豆太ほど　おくびょうな　やつは　ない。もう五つにもなったんだから、よなかに　ひとりで　セッチンぐらいに　いけたっていい。

「五歳児革命」に関連して注目したいのは、表記の問題です。理論社版（二〇〇八）で「イシャサマオー」と記されている豆太の発した言葉は、小学校の学習の場では「イシャサマヲー」と表記されるべきですが、作品ではあくまで「オー」と表記されています。ここにはたどたどしい五歳児の言葉が直接的に表現されていると考えられるのです。じさまの体調の急変という事態に対して、恐怖に駆られながらも自己の存在の基盤であり守護たる唯一の存在としてのじさまを救出するための具体的な行動が要請され、その切迫感が言語化されたものとして捉えることができます。

作品においては、〈峠〉にぽつんと一軒だけ建てられている猟師小屋がモチモチの木とともに描かれていますが、そこには地上から天に最も近い地理上の優位性が保たれており、豆太は〈峠〉を下った後に、医者とともに〈峠〉を上るという行為の中でモチモチの木に灯の灯るのを見ることとなります。厳密に言えば「一人で」ではありませんが、豆太は、頂上としての〈峠〉への道を天に向かって

斎藤隆介作・滝平二郎絵（1971）『モチモチの木』（岩崎書店）

歩む中で灯を見ることが重要な意味を持つのです。水平方向ではなく、垂直性を持った重力の向きに逆らいながら視線を上げて見ることを豆太は昼の間に行っていましたが、真夜中に見上げるという行為を行うという初めての経験を行うわけです。

その中で、豆太は闇の中で、自然の持つもう一つの面を啓示的に受け取ることになります。自然の持つ猛威とともに恵みをもたらすものとしての祝祭を共にすること、それは時間を先取りするならば、未来の豆太による〈予祝行為〉として捉えることもできます。自然の持つ複数の顔を豆太が実感を伴って体感することが自然の中で生きることを教えられるという〈祝祭的空間〉が形成されているのです。

さらに、豆太という命名には、「豆」つまり、新たな生命を宿し豊穣を約束する存在としての可能性が秘められている存在と、それを継いでいく存在である継承者としての「太」が用いられています。本作品の豆太の持つ象徴性もここに秘められていると考えられます。ここでも〈太郎の物語〉、つまり、〈夜〉の制御を通して〈山の神〉たるクマを獲る猟師としての系譜を継承し、獲物を自然に恵送する勇者という一種の英雄伝説的な人物像の一端が示されているのです。

なお、斎藤隆介の作品には、この〈太郎の物語〉と対をなすように、『ふき』『花さき山』『ソメコとオニ』など〈花子の物語〉が並行して存在していることにも注目したいです。

幼児期は、皆さんにとっても懐かしい記憶に満ちた世界だと思いますが、未知な分野を含む広大で豊かな〈宇宙〉でもあります。作品を通して内なる〈旅〉に出かけてはいかがでしょうか。

【参考文献】

秋田喜代美ほか著（二〇二〇）『新しい国語 三上』（東京書籍）
勝倉壽一（二〇一四）「豆太の自立とはなにか―「モチモチの木」の読み―」（『小学校の文学教材は読まれているか―教材研究のための素材研究―』銀の鈴社）
斉藤隆介作・滝平二郎絵（一九七一）『モチモチの木』（岩崎書店）
斉藤隆介作・滝平二郎絵（二〇〇八）『新・名作の愛蔵版 モチモチの木』（理論社）
Ryusuke Saito, Illustrated by Jiro Takidaira : The Tree of Courage（2007,R.I.C.Story Chest）

8

『海のいのち』～「息」の物語～

ダイビングを始めてから、海に対する見方が変わりました。海上から見た海とは全く異なる世界が広がっていることに驚きを隠せません。

立松和平の作品『海のいのち』は、東京書籍及び光村図書ではともに小学六年生の教科書に掲載されています。太一が、父を破った巨大な魚・クエに銛を打たなかったことについて多くの研究者が解釈を行ってきていますので、ぜひ先行研究に目を通すことをお勧めします。

太一がまぼろしの魚と出会った場面は次のように描かれています。

これが自分の追い求めてきたまぼろしの魚、村一番のもぐり漁師だった父を破った瀬の主なのかもしれない。太一は鼻づらに向かってもりをつき出すのだが、クエは動こうとはしない。そうしたままで時間が過ぎた。太一は、永遠にここにいられるような気さえした。しかし、息が苦しくなって、またうかんでいく。もう一度もどってきても、瀬の主は全く動こうとはせずに太一を見ていた。おだやかな目だった。

水中で流れる時間に身を任せ、「永遠に」「ここ」「クエの生存する水中」にいたい、いられると思っても、生身の存在である太一には水中で「息」をすることはできません。ここでは、生存する基盤の異なる世界にいる二つの生き物であるクエと太一とが、重なり合うことのできないことが明示され、その不可能性が、実感を持って知らされていると考えられます。

『岩波古語辞典（増訂版）』（二〇〇八）によれば、「息」について、「《生キと同根》①呼気。呼吸。②気力。活力。息と生キとを同根とする言語は、世界に例が少なくない。例えばラテン語spiritusは息・生命・活力・魂、ギリシャ語anemosは空気・息・生命・ヘブライ語ruahは風・息・生命の語源の意。日本の神話でも「息吹のさ霧」によって生れ出る神神があるのは、息が生命を意味したからである。」との説明が加えられています。

また、同辞典によれば、命（いのち）について、次の説明がなされています。「《イは息、チは勢力。》したがって、『息の勢い』が原義。古代人は、古代人は、生きる根源の力を眼に見えない勢いのはたらきと見たらしい。だからイノチも、決められた運命・生涯・一生と解すべきものが少なくない。①生命力。②寿命。③一生。④運命。⑤死期。》」とあり、作品理解の参考となります。

なお、本文においては、息継ぎのために水面に出て再度クエのもとに戻ってきた後、「息」を吐く叙述として「水の中で太一はふっとほほえみ、口から銀のあぶくを出した」とあるように、ここでの息が「銀色」といういわば価値のある物としての「ほほえみ」とともに、プラスイメージの意義付け

立松和平作・伊勢英子絵（1992）
『海のいのち』（ポプラ社）

がなされていることに着目することが大切です。太一が「水の中で」クエに向かって「ふっとほほえみ、口から銀のあぶくを出し」、さらに、「クエに向かってもう一度笑顔を作った」という一連の表現は、切迫感を感じさせない緩やかな時間の流れを感じさせる表現となっています。「また会いに来ますから」という表現の直後に水中から水面に向かって息継ぎをするために上昇したと考えるのが一般的だとすると、ここでは、一定の時間が経過しているが、緊急の息継ぎを要するほど切迫しているとは感じられません。息継ぎをして再度クエのもとに戻った太一が、クエと対峙する時間的な余裕はあったものと考えられます。その中で、太一は、クエとの時間を一時的に共有します。

太一がクエに銛を打たなかった理由の一つは、太一に流れる時間とクエに流れる時間とが互いに浸透し合う「永遠感覚」とも言うべき感覚に包まれていることを実感したことによる認識の覚醒によると考えられます。つまり、息継ぎをすることができず、自分とは異なる世界に悠々と存在するクエに対して、自分の持つ人間としての限界を自覚する一方、自らをも包み込む海の大きさ、海に流れる悠久の時間に包まれることにより太一はクエに対して銛を打つことを忌避したと考えられます。

なお、作者・立松和平自身が「一人の海」というイラスト付きの物語作品を書いていますので、両者を比べて読むことも楽しみです。

【参考文献】 秋田喜代美ほか著（二〇二〇）『新しい国語 六』（東京書籍）
甲斐睦郎ほか著（二〇二〇）『国語六 創造』（光村図書）
勝倉壽一（二〇一四）「『海のいのち』の読み」『小学校の文学教材は読まれているか』（銀の鈴社）
髙橋正人（二〇二〇）『文学はいかに思考力と表現力を深化させるか―福島からの国語科教育モデルと震災時間論』（コールサック社）

9 『少年の日の思い出』(Jugendgedenken)

ノーベル文学賞を受賞したヘルマン・ヘッセの『少年の日の思い出(Jugendgedenken)』は、現在中学校一年生の教科書に掲載されており、大学生になっても「そうか、そうか、つまり君はそんなやつなんだな」という高橋健二訳のエーミールの言葉を今でも覚えているという学生がいるほど影響力のある作品です。

この作品は、道徳的な面からのアプローチにより、一度行った過ちは二度と元に戻すことはできないなどの解釈を中心に行われてきた歴史があります。竹内常一氏(二〇〇一)の研究を受けて、最近では、作品の語りに注目することで、現在、過去、さらには未来を含めた作品世界の深まりが際立ち、きわめてダイナミックな作品として取り上げられています。

最近では、今福龍太氏が『ぼくの昆虫学の先生たちへ』という著書の中で本作品を取り上げており、ヘッセに宛てた手紙の形式の中で、蝶の持つ魅力と作品に込められた思いを描いています。少年期から青年期への通過儀礼の一つとしての昆虫体験とも言えるものを共有することができます。

客の語りは、単なる過去の自伝的記憶を総括的にまとめた形での物語ではなく、主人である私という人物との対話と応対とを基にした生成的な語りとして出来事を紡ぎ出していることに特徴があるわけです。客と主人の二人にとって、過去に向かうための航路を開けたのは採集され展翅されているチョウの存在ですが、現在から過去への航路を辿る客にとって、私は聞き役であるとともに、僕の行動を共感的に注視し続ける存在でもあり、裁定を下すものとしての役割を持つ存在でもあります。客の語りに内在する時間の嵌入は、出来事の渦中に今まさに存在し、行動し、思いを巡らせる自身と分身との二つの語りが多声的・複合的に響き合っていると考えることができるのです。

『少年の日の思い出』における語りについては、「原（ウル）出来事」としての「僕とチョウ」との関係という第一次レベルの出来事、伝達を介した「僕とエーミール」との関係という第二次レベルの出来事、出来事の解釈を交えた伝達コードとしての「僕と母」との関係という第三次レベルの出来事、時間を経て語られる「僕と私」との関係という第四次レベルの出来事、さらに、その出来事を再話して記述したものとしてテキスト化された「私と僕」との関係という第五次レベルの出来事、そして、書かれたテキストを享受する「私と僕と母とエーミールと主人の息子たち」という複合体としての第六次レベルまでを射程に含んだ階層を経た入れ子構造を有した多層構造をなしていると考え

今福龍太（2021）
『ぼくの昆虫学の先生たちへ』（筑摩書房）

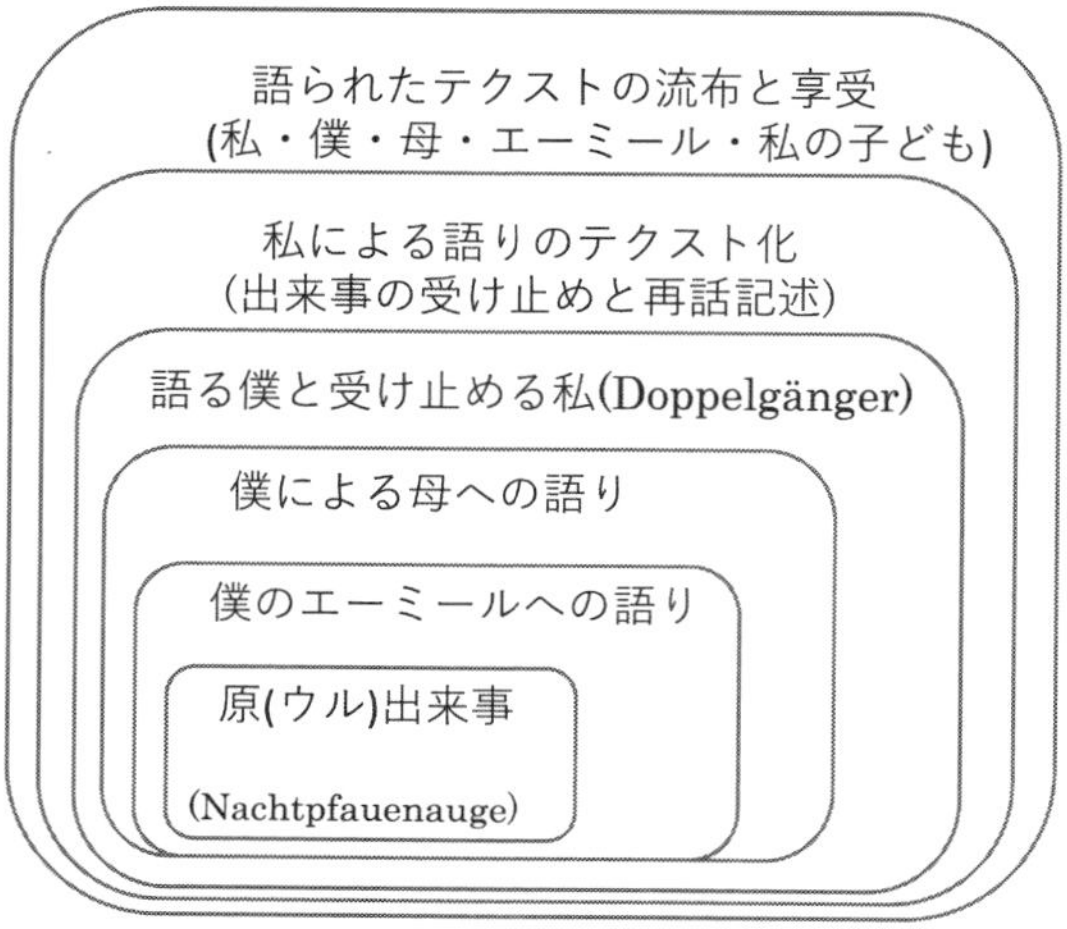

語られたテクストの流布と享受
(私・僕・母・エーミール・私の子ども)

私による語りのテクスト化
(出来事の受け止めと再話記述)

語る僕と受け止める私(Doppelgänger)

僕による母への語り

僕のエーミールへの語り

原(ウル)出来事

(Nachtpfauenauge)

られます。

とりわけ、自伝的記憶を語る客にとって、主人は、客の話を聞きつつそれらを咀嚼し、消化・吸収し、一体化しつつ自伝的記憶を遡及的に語り繋ぐ存在として、共に過去を共有する鏡像関係を形作っています。そして、「語る私」と「体験する（しつつある）私」とが「聞く主人」との間で交わされるとともに、「語られた私」の話を「聞き取った主人」が「書き記した」後に、「読むことになる私」が取り巻くという、現在と過去とが入り交じった時空を共有するという多重的・多層的な構造を持っていると考えられます。

また、教科書に掲載されている高橋健二訳のほかに、岡田朝雄訳もありますので、同じ作品の訳の違いと受け止め方について友人と話し合うことも大切になります。

なお、作品の最後の場面は次のように記されています。ぜひ、一度ドイツ語の原文で読み味わってみたい作品です。

だが、その前に僕は、そっと食堂に行って、大きなとび色の厚紙の箱を取ってき、それを寝台の上に載せ、闇の中で開いた。そしてチョウチョを一つ一つ取り出し、指でこなごなに押し潰してしまった。

Vorher aber holte ich heimlich im Eßzimmer die große braune Pappschachtel, stellte sie aufs Bett und machte sie im Dunkeln auf. Und dann nahm ich die Schmetterlinge heraus, einen nach dem andern und drückte sie mit den Fingern zu Staub und Fetzen.

【参考文献】今福龍太（二〇二一）『ぼくの昆虫学の先生たちへ』（筑摩書房）
児玉忠・植山俊宏・丹藤博文ほか著（二〇二一）『伝え合う言葉 中学国語一』（教育出版）
竹内常一（二〇〇一）「罪は許されないのか」（『文学の力×教材の力 中学校編一年』教育出版）
ヘルマン・ヘッセ著・高橋健二編（一九八〇）『ヘッセ：少年の日の思い出（Jugendgedenken）』（郁文堂）
ヘルマン・ヘッセ著・岡田朝雄訳（二〇一六）『少年の日の思い出』（草思社）

10

『汝は、塵なれば』
〜小高にて〜

東日本大震災は東北にゆかりのある人だけでなく、多くの人々にとって衝撃の度合いが計り知れないものとなっています。福島県いわき市の「いわき芸術文化交流館アリオス」において震災後十年を経て開催されたシンポジウムでは、桐野夏生氏や玄侑宗久氏を始めとする小説家の皆さんや福島ゆかりの歌人、俳人、教育者が登壇していました。私もシンポジウムの登壇者の一人として参加しましたが、その中で、詩人の齋藤貢さんの『汝は、塵なれば』（二〇一三　思潮社）から「ひかり野」という作品を紹介しました。抑制のきいた言葉から多くのものが立ち上がってくるのが感じられます。

ひかり野

小高は、機織りの音が軽やかに響く町通りに、八百屋、
魚屋、畳屋、時計店などが軒を連ねて、駅から真っ直
ぐな一本道が、ひかりの道のようにそこから未来へと

連なっている。東には、海まで続く、平たく低い土地。海辺の、村上の浜では、沖からの強い海風が防風林を叩きつけている。長く続く砂浜の、白い砂塵が、時に嵐のように舞い上がるが、松林のなかは、ひっそりとした静けさに包まれている。浮舟の小高城趾が、遠くに、こんもりとした佇まいを見せている。その向こう、小高のはるか西方には、なだらかな阿武隈の山脈が横たわっていて。夕日が沈む頃には、そのたおやかな山巓があかあかと朱色に染まり、夕日の名残が、峰々から夕焼けとなって転げ落ちてくる。

その時刻に、町を歩く。
小高は、ひかりの、野原になる。

野菜や夕餉のスープの匂い。風呂を焚く薪や七輪の炭火の焼け焦げるような匂い。それらが混じり合った饐えた小高の暮らしの匂いが、町明かりと重なってどこからともなく漂ってくる。

小高は、懐かしいひかりに
包まれて。

朝焼けや夕映えに包まれると、
凛とした土の匂いが
小高の沃野に満ちてきて
海からは
ひたひたと寄せてくる潮の匂い。
からだのなかを流れる
ひとの遺伝子が
ふるさとの懐かしさを呼び起こす。［…］

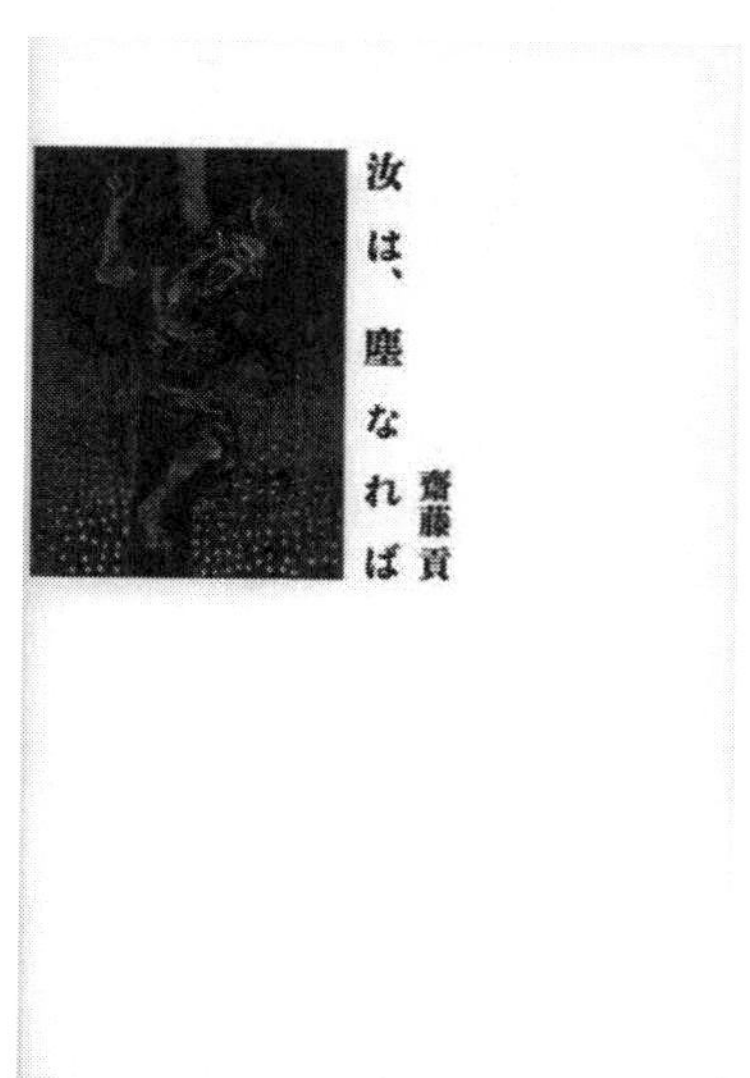

齋藤貢（2013）『汝は、塵なれば』（思潮社）

この詩を読んでどのような情景が目に浮かびますか。そして、その情景を見つめる詩人の眼差しをどのように受け止めますか。作品の背景やその作品にまつわる世界観に思いを馳せるとともに、作品同士のつながりを考えることも重要です。そして、一人一人が、作品と対話しながらともに生きることが今後の探究的な学びに資するものと思います。作品はテクストであり、これまでの人類の宝ともいえる〈知〉の糸を手繰り寄せながら深く絡まり合って作品を形成しており、そうしたネットワークそのものを感じ取ることも文学作品を読む意義の一つかもしれません。一度、詩の舞台となった小高を訪れてみてほしいと思います。

【参考文献】 齋藤貢（二〇一三）『汝は、塵なれば』（思潮社）

照井翠（二〇二一）『句集文庫新装版 龍宮』（コールサック社）

「震災・原発文学は命と寄り添えたか」（2021.4.3）
主催：「福島浜通りの震災・原発文学フォーラム」実行委員会（若松丈太郎委員長）

11

『漫画家残酷物語』と回想

日本のマンガ作品には、独特の雰囲気を持ち記憶に残る作品が多くあります。中でも、つげ義春の『ねじ式』などの作品群、真崎守『ジロがゆく』などは秀逸な作品で、現在でもその価値はゆるぎないものです。

ここで紹介するのは、一九六〇年代に多くの読者から熱狂的な支持を受けた永島慎二の連作『漫画家残酷物語』の中の「遭難」という作品です。

少年漫画を生涯の仕事と考える青年が、師と仰ぐ老漫画家の元を訪れる。漫画の神髄を尋ねられて、過去を語る高井林太郎自身の姿が少年時代の彼の姿と交錯し、同一のコマの中に雨の描写と共起する場面があります。映画の表現技法としてのオーバーラップの手法が採られるとともに、語りの現在を通して漫画家・高井の深層に横たわる過去の記憶が、今、現在においても消し去られることなく揺蕩っていることが明確に示されています。慣れ親しんだクマとの絶望的な別離がここでは白い目ではなく両眼ともに横一直線に閉じられた形で示されており、少年時の高井にとっていかに大きな衝撃であったかが明確に示されているのです。

この同一コマの中に時間の異なる二つ以上の描写をすることは、線条性を持つ文字テクストのみでは表現が難しく、マンガというメディアが有する特徴の一つです。それによって過去と現在との並置・相互還流として相互に行き来することが可能となり、異なる時間を同時並行的にオーバーラップできるのです。脳裏に浮かぶ自分自身の少年時代の姿を思い描いている様子と現在との間にある時間的な距離もまたこの一コマには凝縮されています。

さらに、語ったはずである言葉がここには消去されています。どのような形で語られたかもまたここには封印されていますが、雨の中で泣き叫ぶ少年時代の自己を分析的かつ客観的に見守る姿が明確に示されており、併せて、三コマ目で表現されている横一線に閉じられた瞼と眼窩が、青年の訪問を受けて登場した段階での白く何もない形で表現されている目とともに、この体験の衝撃の強さを物語っていると言えます。

作品では次に、武蔵野を背景として歩を進める青年の横顔が描かれます。注目したいのは、同一の横顔を右側下に布置しつつ想念を描写する手法です。長さにしてほぼ四倍の大きさで表現されている老漫画家の顔とともに対話の一部が再現されているのです。「去年の秋のことでした……。」と始まる言葉がコマの背景に書かれています。この表現はマンガ表現としては一般的ですが、空間処理とともに言葉は重層的に響いており、この描写には、ミハイル・バフチン著、望月・鈴木訳（一九九五、一五～一六頁）が、ドストエフスキー小説の本質を「それぞれに独立して互いに融け合うことのないあまたの声と意識、それぞれがれっきとした価値を持つ声たちによる真のポリフォニー」と指摘した「ポリフォニー小説」との相似点を見て取ることができます。

特に、コマ内において記述される文言は、一義的には作中人物それぞれの内声の表出であり、二義的にはそれを受け止める読者自身の内声としてコマを見るものに到達する声であり、さらには、コマ

『完全版 漫画家残酷物語』
(C)永島慎二／ジャイブ株式会社

の前後を行き来する時間を含んだ声でもあります。コマに付されている言葉の持つ特殊性は、その複数性の表出にあり、老漫画家が語った時点における言葉とその言葉を反芻する青年において現れてくる言葉が読者には複数の構造を伴って表出されているのです。文章表現の場合には直接話法が用いられるところですが、ここでは語り手と青年との両方の言葉としていわば直接話法と間接話法との混交体の形態をとっているわけです。

しかも両者は、自分の全作品を枯葉とともに焼却した時間とそれを語っている時間、さらにその話を反芻しながら思い返している時間という階層構造をなしています。回想場面において青年の眼鏡の中に眼球が描かれていないことにも着目すると、ここで永島は深く自己と対峙している場面にも眼球を描かずに内面と深く対話を重ねている状態を描写していると考えられます。

このように、マンガのコマに込められた技法に着目することで、語りの在り方について考察することも可能です。他のマンガ作品とその評論などを比べて読んでみることをお勧めしたいと思います。

【参考文献】 永島慎二（二〇一〇）『完全版 漫画家残酷物語』（ジャイブ）
ミハイル・バフチン著、望月哲男・鈴木淳一訳（一九九五）『ドストエフスキーの詩学』（筑摩書房）

12 映画『トゥルーマン・ショー』

ピーター・ウィアー監督の映画『トゥルーマン・ショー』（一九九八）は衝撃的な作品でした。生まれた時から自分以外の人に二十四時間三百六十五日のすべてをカメラで撮影され全世界に配信されているということを知らないまま過ごすという「超管理社会」を先取りする形で描かれた作品は、二十一世紀の現代社会の先取りでもあり、未来社会の予言作として今でも考察する意義のある作品の一つです。

映画というメディアを鑑賞するとともに、その作品に関する評論を読み進めることは、複数テクストの読解及び思考の深化という観点から、高校生の皆さんにとって極めて有効な探究の手法となります。

越智道雄は、「『トゥルーマン・ショー』は高度管理社会の寓話」という映画評論において次のように記述しています。

【何も知らないトゥルーマンは私たち自身の姿】

フロリダ沿岸の島とその周辺の海を巨大なドームで覆い、人工的天空（ドーム）は中央制御室の指示で自在に昼と夜を交換でき、天候も自在に操れるし、人工的海洋も嵐、凪と自由自在にコントロールで

『トゥルーマン・ショー』(1998)

きる。ドームの中の都市はシーヘブンと名づけられているが、住民は主人公トゥルーマン・バーバンクを除いて全員、この都市が架空のものであることを承知している。なぜなら彼らは全員〈トゥルーマン・ショー〉という超ロングラン番組の俳優だからである。主人公だけは自分は人工的な世界ではなく、自然な環境の中で自然な人生を送っていると勘違いしている、つまり彼は〈意識しない俳優〉なのだ。

孤児トゥルーマンに俳優の両親を配し、30年間にわたって5000もの隠しカメラで彼の日常生活を全世界に放映し続けてきた過程で、「これはただのお芝居なんだ」という認識を失って主人公に同情してしまった人物は番組から消される。父親役はトゥルーマンが子供時代、嵐の海(人工海)でヨットから落ちて死ぬ(これは同時に、トゥルーマンに外の世界に繋がる人工海への恐怖を植えつける目的でもあっただろう)。[…]

さて、この映画は複雑な寓意性を持っているが、まず中心的な寓意は、私たちが半ば無意識に暮らす高度管理社会の寓意だということだ。巨大な天空と人工海を擁するドームは高度管理社会そのものであり、その中で何も知らずに無邪気に暮らしてきたトゥルーマンは私たち自身の姿である。

高度管理社会の最大の特徴は、私たちがメディアによって現実と隔離されることだ。メディアの原義〈媒介物、介在物〉である。メディアが私たちと現実の間を取り持ち、媒介してくれる段階ならば、メディアの存在意義は大きい。しかしメディアが私たちと現実の間に割り込み、介在すると、メディアは私たちを現実から遠ざける。映画のドームが、トゥルーマンから現実を奪っているように。［…］

【クリストフとトゥルーマン、父なる神とキリスト】

高度管理社会は特定の個人や集団が自在に操ることはできない何かなのだ。強いていえば、メディアその他のハイテクノロジーを基盤にしつつ、それらが私たち個々人の意識と共鳴しあって、現実の時空と私たちの内面の時空、双方の只中にぼうぼうと立ち上がった巨大なホログラムなのだ。このホログラムは幻想かと思うと現実になり、現実かと思うと幻想になる。まことに摑みどころのない代物なのである。

他者によって監視され、プライバシーが著しく奪われた現代社会に対する警鐘と捉えることも可能な本作品では、私たち自身が他者を視線により支配下に置こうとする欲望から自由になれない存在であるという事実もまた白日の下にさらしています。本作品を読むと、小説家・ジョージ・オーウェルの記念碑的作品『一九八四』を彷彿とさせます。個人と国家、自由と束縛、社会と制度などの問題を考える上でも示唆に富んだ内容を含んだ作品の一つと言えます。

このように、映画作品の意図や構造を知ることが、作品理解を深めるとともに、作品に込められたメッセージを読み解くことにも資することになります。

【参考文献】 越智道雄（一九九八）「『トゥルーマン・ショー』は高度管理社会の寓話」（JIM CARREY the TRUMAN show 松竹株式会社事業部編・発行）
ジョージ・オーウェル著・高橋和久訳（二〇〇九）『一九八四年』（早川書房）

13

『東京物語』における生と死

当初より一年遅れて開催された東京オリンピック二〇二〇の閉会式では、一九五三年に発表された小津安二郎の映画『東京物語』の作中の音楽が流されました。

小津安二郎監督の『東京物語』は、イギリスの映画雑誌『サイト&サウンド』誌で三五八人の世界の映画監督が選んだ「映画史上ベスト映画」の第一位に選出されたことでも有名な作品です。ちなみに、第二位は『二〇〇一年宇宙の旅』、第三位は『市民ケーン』です。

この作品は、「東京」を座標の中心として据えたとき、「東京に向かう物語」と「東京を去る物語」という二つの方向の中で捉えることができます。前者を中心にした物語が前景化するのは父と母が家庭を持った長男、長女を訪ねる場面であり、同時に義母の葬儀を終えて東京に帰る紀子を乗せた列車が向かう場面です。一方、後者を中心にした物語が前景化するのは、長男と長女から促されて一泊した熱海や上野の森を去り、地方へと回帰する父と母の姿とともに、母親の死を知らされた長男たちが故郷・尾道に向かう動きです。東京は、息子たちにとって終着駅（ターミナル）であり生活の場でありますが、老いた父母にとって、人生の「終焉（ターミナル）」という意味も付与されており、尾道に帰ることにより母親の生は尽きることになります。

武田悠一氏（二〇一七、一三七頁～一三八頁）が「もっとも普遍的かつ原型的な物語構造」と指摘するように、尾道から東京に「行って」、大阪経由で子どもたちへの挨拶をすべて終えて尾道に「帰ってくる」という「行きて帰りし物語」の型が踏まえられており、尾道—東京、東京—（熱海）—大阪—尾道という対照的な往還運動が作品の大枠を決定づけていると言えます。

しかも、地理的空間の往還の中で、母の生と死という時間的な往還も枠取られており、時の持つ〈魔力〉からの脱出に際しては母・とみの死という対価が払われなければならないのです。東京の持つ広がりと人間関係の希薄さによって、父も母も自らの存在基盤そのものを消滅させていきます。そういう意味で、熱海の夜の場面は、東京と尾道との中間点に位置付けられたいわば「リア王」に見られる追放の地であり、漂泊を余儀なくされた放浪の地と考えることもできます。

リブロポート編（1984）『リブロシネマテーク 小津安二郎 東京物語』（株式会社リブロポート）

新しい学習指導要領の下、ヴィジュアル・リテラシーが今後とも重要性を増す中で、映画作品をもとにした複数テクストを読み味わうことの重要性は今後ますます際立っていくことと思われます。奥泉香氏（二〇一八、三頁～四頁）は、国語科教育におけるヴィ

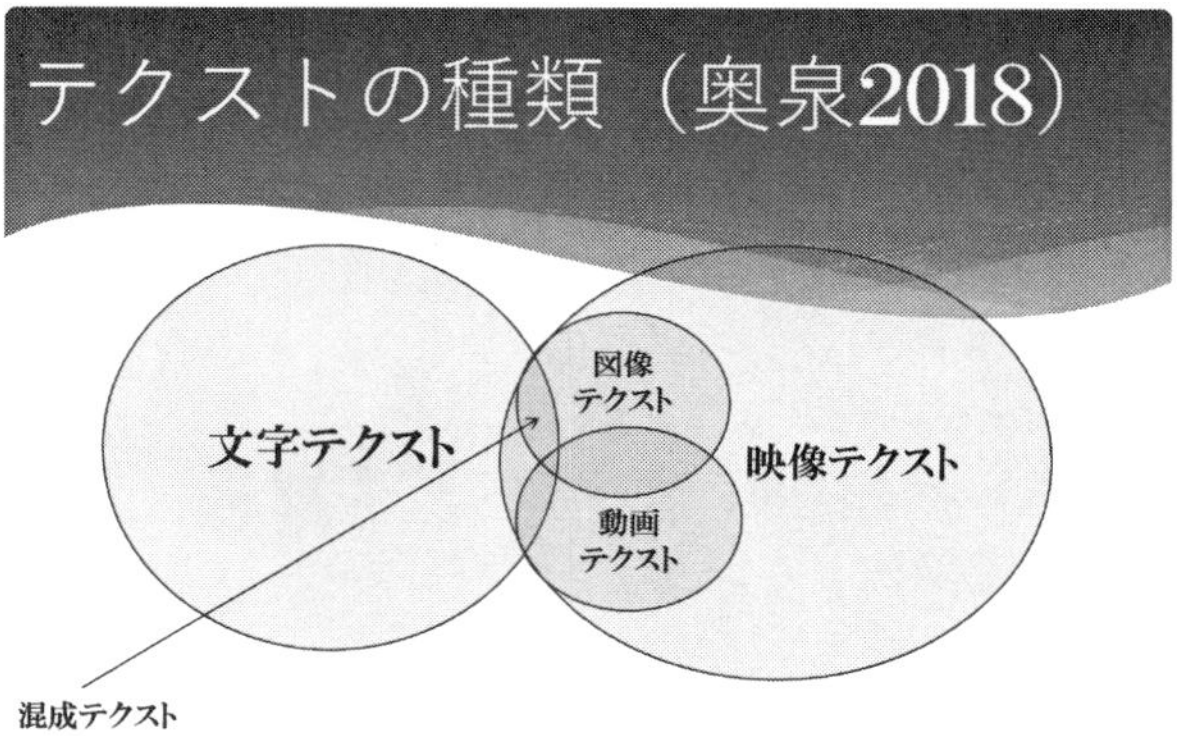

テクストの種類（奥泉2018）

文字テクスト
図像テクスト
動画テクスト
映像テクスト
混成テクスト

奥泉香(2018:4)『国語教育に求められるヴィジュアル・リテラシーの探究』(ひつじ書房)より

ジュアル・リテラシーの必要性について、「『多様な背景を持つ人々の思考や感情をより効果的に駆り立てるよう』『視覚化』したテクストの学習は、現代の知識基盤社会を背景とした国語科教育において、取り組むべき重要な学習」であると指摘しており、そのカバーする領域について、図のように、文字テクスト、映像テクスト（図像テクストと動画テクストを統合して称する場合）、マルチモーダル・テクスト（映像テクストにキャプションやタイトル等の言葉で書かれたテクストを統合して扱う場合）、混成型テクスト（マルチモーダル・テクストの内、図像テクストと文章との統合的なテクスト）とカテゴリー分けをしています。

なお、次のとみと、長男の孫の勇との語らいの場面における会話は、明らかに死の予兆を奏でていると言えます。

51　空き地　　とみと、勇―

とみ「勇ちゃん、あんた、大きうなったら何になるん？」

勇、答えず、遊んでいる。

とみ「あんたもお父さんみたいにお医者さんか？　―あんたがのうお医者さんになるこらあ、お祖母ちゃんおるかのう……」

この場面も、一度目に見た折にはごく普通の孫と祖母との会話にしか思えませんが、こうした何気ない人生の些事が、実はいちばん美しくかけがえのない瞬間であることを、私たちは映画全体を見終わった瞬間に感受することになるのです。

ぜひ、この機会に映画『東京物語』を鑑賞してみてはいかがでしょうか。

【参考文献】 奥泉香（二〇一八）『国語科教育に求められるヴィジュアル・リテラシーの探究』（ひつじ書房）

武田悠一（二〇一七）『読むことの可能性―文学理論への招待』（彩流社）

リブロポート編（一九八四）『リブロシネマテーク　小津安二郎　東京物語』（株式会社リブロポート）

14

『手の変幻』と東京オリンピック

国語科だけでなくすべての教科において、知的好奇心を持ちながら一つのテーマをもとに探究することは、思考の広がりと深まりの源泉です。

高等学校国語科教科書の定番ともいえる評論「失われた両腕」は、清岡卓行の『手の変幻』の冒頭の文章ですが、「手」をテーマとして深められた思索の軌跡としても趣のある作品です。私自身、この作品を読むたびに、学生時代に訪れたパリのルーブル美術館で初めて見た「ミロのビーナス」の記憶が甦ってきます。『手の変幻』には、「手」をテーマとして様々な作品を考察するという探究と思索の見本をみることができます。

今回は、「勝利の羞恥と僂さ　東京オリンピックから」と題された文章を読んでみたいと思います。


また、ぼくは、日本の女子選手たちの手の形に、彼女たち自身のプレイの最中におけるひたむきな手の形をオーヴァー・ラップさせたいと思う。すると、そこには、先程とは別な対照、同じく生気潑溂としていながら、緊張感と解放感とのまことに際だった対照が浮びあがってくるにちがいない。

それにしても、ぼくが心を惹かれるのは、感きわまっている彼女たちの手が、すでに一抹の哀愁を漂わせていることである。彼女たちの手が、喜びが高まって涙となる瞬間に、思わず求めようとしているものは何だろうか？　それは、具体的には、仲間の選手の肩であったり、自分自身の泣きはじめた顔であったりするだろう。しかし、それらの具体的な対象が、そのときひそかに象徴しようとしているものは何だろうか？

それは、一言でつくすなら、まさに過ぎ去ろうとしている青春なのである。すさまじい猛練習に捧げたところの、そして遂に勝利によって酬われたところの青春なのである。人間というものは、長い時間をかけた必死の労苦が実を結んだとき、嬉しさのあまり、自分の運命に泣くことができるものであろう。そしてそれが、青春を半ば以上費したようなものである場合、その栄冠がどんなに華やかなものであるとしても、そこにはふしぎな寂しさが漂うのだ。栄冠さえもふと空しく感じられるのではないか。なぜなら、そのとき、勝利とともに青春は終るからである。そして、青春にしか、生命のまったき夢は宿りえないからである。

このような意味における勝利の儚さ、究極的にはそうしたものを、優勝決定の瞬間における彼女たちの手がいみじくも表現しているようにぼくには思われてならないのである。

ところで、こうした感銘のひそかな裏打ちとなっているもの、それが彼女たちの手のところどころに巻かれている繃帯であるということに、ぼくは注目せざるをえない。そのことを忘れたら、この場合、手のイメージについては半分しか語らなかったことになるだろう。そうした繃帯が想像させるものは、もちろん有名な猛練習であるが、そのことについて、ぼくはとりとめのない仮説をこんなふうに追ってみたりするのだ。［…］（八五頁～八七頁）

例えば、本文のこの後の文章を予測することにより、これまでの論の展開を踏まえた創造的な思索が可能となります。テクストを受動的に受け取るだけでなく、積極的に執筆者の思考と同調しながら展開する力を身に付けることも今後の国語科の授業では重要になってきます。

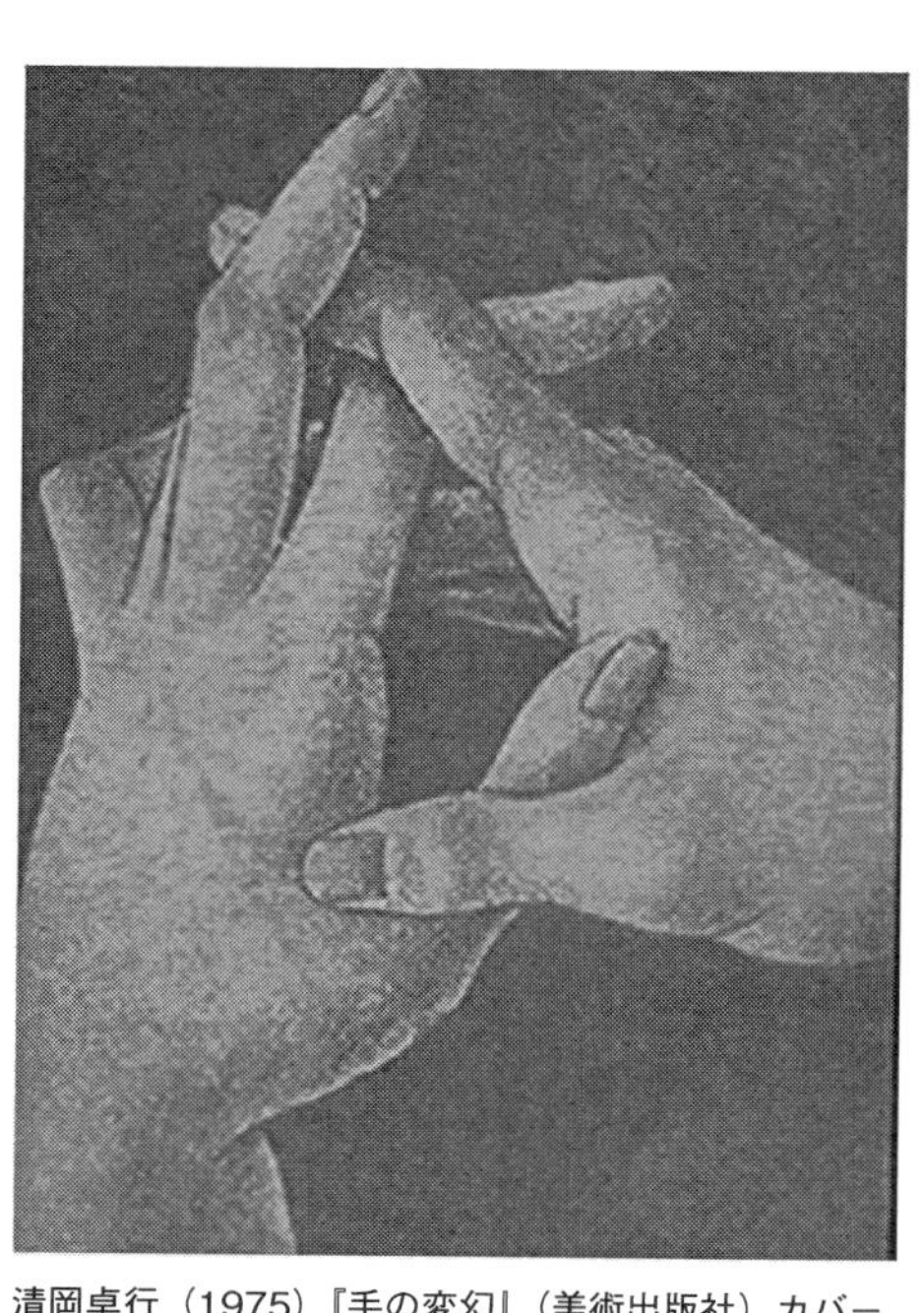
清岡卓行（1975）『手の変幻』（美術出版社）カバー

また、「失われた両腕」では、次のように素朴な疑問を積み重ねることにより思索を深める手法が用いられています。

なぜ、失われたものが両腕でなければならないのか？　ぼくはここで、彫刻におけるトルソの美学などに近づこうとしているのではない。腕というもの、もっときりつめて言えば、手というものの、人間存在における象徴的な意味について、注目しておきたいのである。それが最も深く、最も根源的に暗示しているものは何だろうか？［…］ それは、世界との、他人との、あるいは自己との、千変万化する交渉の手段なのである。

こうした本質的な問いを重ねることによって、思考を深めることが、自身の思考力を鍛えることにも資することになります。

なお、清岡卓行は、本書で、「思惟の指」「映像と心像」「指の先の角砂糖」「演奏の手」「決死の手の蘇生」「女の手の表情」などのタイトルで思索を連ねています。このように、一つのテーマについて、一般的な視点を離れて、多面的・多角的な視点から考察を加えることによって、新たな発見を生み出すことができるのです。得られた知見をぜひグループなどで交換し合い、互いの発見について交流を深めることにより探究活動をさらに活性化してみてはいかがでしょうか。

【参考文献】 伊藤亜紗（二〇二〇）『手の倫理』（講談社）
清岡卓行（一九七五）『手の変幻』（美術出版社）

15

吉田とし『きみはその日』

少年期に読んだ作品を年を経て再読すると、不思議な感覚にとらわれることがあります。いわば読書体験は、人生をタイムマシンで旅することにも繋がっているのです。さらに、読書体験は、内容だけでなく、読書をしていた当時のすべてが包みこまれた時空を形成しているのかもしれません。

私にとって、中学時代に定期購読をしていた月刊学習雑誌に掲載されていた吉田としの小説『きみはその日』は思い出深い作品です。中学生・郁子の生き方に共感を覚えるとともに、そこに描かれている思春期の心の揺れや日常の学校生活が鮮明な映像として今も記憶に残っています。

一九七〇年代は高校受験の厳しさがピークを迎える時期でもあり、地方とは異なり都市部、とりわけ東京における受験は大変な状況にあったことが推察されます。その中で、いわゆる受験用学習雑誌に掲載された本作品は、受験を俯瞰した立場から、先輩・優に対する恋心と受験という現実との間で揺れ動く主人公・郁子の心を通して描き、当時の読者から共感が寄せられたものと思われます。

定期的に刊行される小説という点では、夏目漱石の作品が新聞小説として新聞に連載されていたことや、現在でも全国紙、地方紙を問わず日本の小説文化を担う重要な役割を果たしていることと軌を一にしているとも言えます。

作品では、太宰治の『走れメロス』の勇者の赤面に関して、緋のマントをメロスにささげる少女と主人公・郁子の性格の類似を述べる部分がありますが、ここには、著名な作家である太宰の作品に触れるという、当時の中学生に対する啓発的な役割も付与されています。

様々な中学校での出来事を経て物語は、次のように締めくくられています。


「きみたちも、もうじきだなあ」

ソファーの背に深くもたれて、優が不意にいった。むろん受験のことだ。もうしあわせたように、紅茶に角砂糖をいれて、スプーンでかきまぜていた郁子たちは、顔をあげた。

「結果は、だれにも予測できるもんじゃないよ。だから結果には手が及ばないよ。ぼくたちに納得がいくのは、ただ、自分がなにを考え、なにをしたか、どんな努力をしたか……それだけだな。ひとが自分にむかって、『きみはその日、どんなに過ごしたか』とたずねたとき、どう答えられるか……。もちろん、ぼくは、受験当日のことだけをさして〝その日〟といってるんじゃない。しかし、また、その当日と限定して考えてもいいわけだ。きみたちは、〝その日〟をかがやかすことはできるわけだ。主役は自分だから……。あとでふり返って、ひたむきに生きた、と思える日が、人間、一生の中で何日持てるか知らないけど、多いほどいいにきまってるんだ」

うつむいて、しずかにうなずいている四元創を、池島朱葉はやさしいまなざしで見守っていた。郁子のほおに、微笑がのぼった。

藤の花がさかりのころ、朱葉から交際を求められた創が、「池島さんは、あのとおり積極的で華々しいだろ」と、いかにもこまったように、藤棚の下でうちあけたことがあった。——それを思い出してい

吉田とし、土居淳男（え）『この花の影』
（『中学二年コース』1967.5月号第４付録
学習研究社）

た。結果はだれにも予測できるもんじゃない、と、いま聞いたばかりの優のことばが、その思い出にかさなると、郁子は微笑が声になりそうだった。［…］

二〇二二年度から年次進行でスタートする高等学校新学習指導要領の解説には、同じ作品を三十歳代で読んだ時と、五十歳代で読んだ時とでの差異が生じることについて言及しています。今後の文学の学びにおいて、一度読んだ作品を、時を経てから再読することによる発見が極めて重要であることを示唆する内容と言えます。

一人一人の体験により物事に対する見方・感じ方・考え方が変化し、同じ事柄を見ても以前とは異なった感じ方をすることは皆さんも経験したことがあるものと思います。読書は、日々生まれ変わっている自分を映し出す鏡の役割を果たしていると考えることができます。皆さんも、これまでの読書体験をもとにして読書ノートにその時の思いと今の思いを重ねてはいかがでしょうか。

【参考文献】
文部科学省（二〇一九）『高等学校学習指導要領解説国語編』（東洋館出版）
吉田とし（一九六七）『この花の影（後編）』（学習研究社）
吉田とし（一九七八）『きみはその日』（集英社コバルト文庫）

16 ネルヴァル『シルヴィ』体験

まだ高校生の段階では第二外国語を学ぶ機会は少ないかもしれませんが、様々な機会に外国語に親しむことは、視野を広げるという観点からも、そして、見方・考え方を深める上でも重要性が高いものと思います。フランス語の原文と翻訳によって作品を味わうことも今後は重要な読書体験の一つです。

ジェラール・ド・ネルヴァル（Gérard de Nerval 1808–1855）は、十九世紀の作家ですが、私にとって学生時代にフランス文学を専攻するきっかけとなった作品です。学生時代にこの作品に出会ってから繰り返し読み返してきましたが、時代も地理も全く異なる世界が自分の思いと重なるという稀有な体験をもたらしてくれる作品の一つです。一度、手に取ってみてはいかがでしょうか。

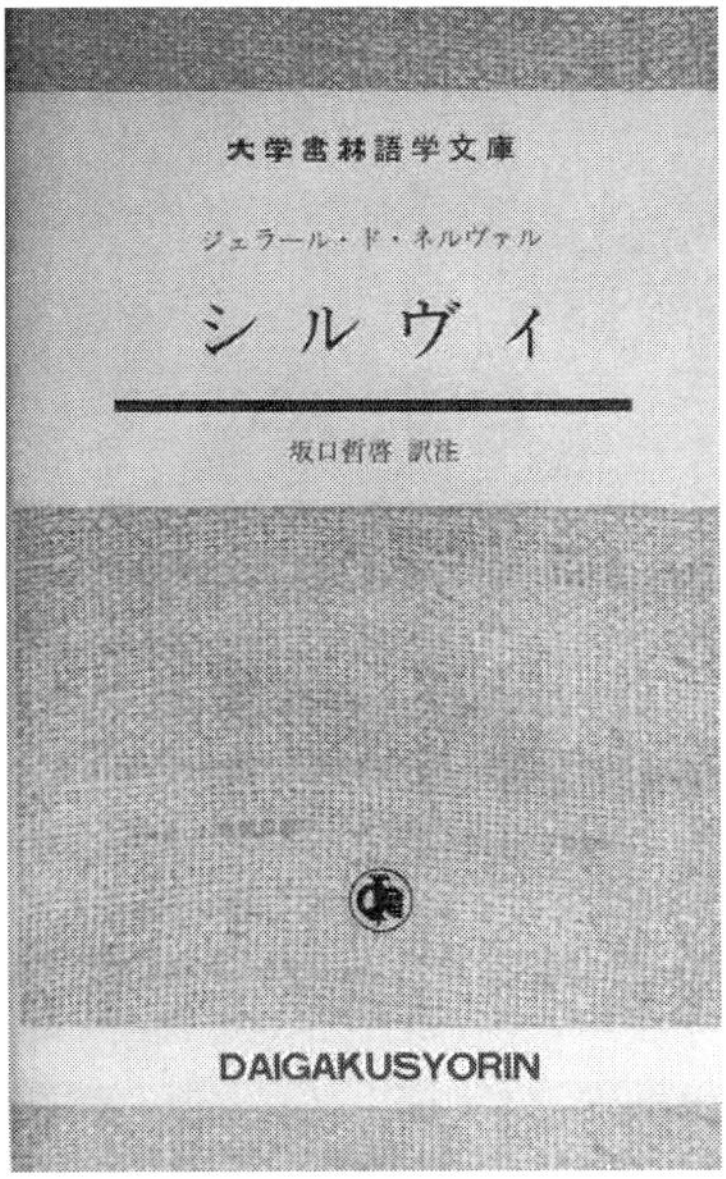

ネルヴァル『シルヴィ』（大学書林・2014）

永遠の女性ともいえるアドリエンヌと、仲のよい昔馴染みの幼友達シルヴィという二人の少女をめぐる物語は印象的な筆致で表現されています。対訳という手法によって二つの言語を行き来することは、作品の良さに触れる重要な機会となることと思いますので、ここでは、坂口哲啓氏の訳注による書物を紹介したいと思います。

私はその輪のなかで唯一の男の子だった。私はそこに、隣り部落のまだほんの小娘であるシルヴィを連れて来ていた。彼女はとても活発で生き生きとしており、黒い眼と端正な横顔、そしてうっすらと日焼けした肌をもっていた！… 私は彼女だけを愛していた。彼女だけしか眼に入らなかった——その時までは！ 私たちが踊っている輪の中に、アドリエンヌと呼ばれている金髪で背の高い美しい娘のいることにほとんど気がつかなかった。突然、踊りの規則に従って、アドリエンヌひとりが私とともに輪の中央に立たされた。双方の背丈は同じくらいだった。私たちは互いに接吻するように言われ、それとともに踊りと合唱は今まで以上に勢いづいてぐるぐる回るのだった。[…]

J'étais le seule garçon dans cette ronde, où j'avais amené ma compagne toute jeune encore. Sylvie, une petite fille du hameau voisin, si vive et si fraîche, avec ses yeux noirs, son profil régulier et sa peau légèrement hâlée!... Je n'aimais qu'elle, je ne voyais qu'elle —jusque-là! À peine avais-je remarqué, dans la ronde où nous dansions, une blonde, grande et belle, qu'on appelait Adrienne. Tout d'un coup, suivant les règles da la danse, Adrienne se trouva placée seule avec moi au milieu du cercle. Nos tailles étaient pareilles. On nous dit de nous embrasser, et la danse et le chœr tournaient plus vivement que jamais. […]

語り手の記憶への彷徨と理想の女性への思いは現在と過去とを行き来する中で、さらに夢想を掻き立てます。実は、この作品のもう一つのテーマこそ「時間」だと言えるのです。実作者としても、また、学者としても有名なウンベルト・エーコは、著書『小説の森散策』において、本作品に関する詳細な分析を行っていますので、ぜひ手に取っていただきたいと思います。特に、『シルヴィ』における時間について作中の時間の推移に関する詳細な回想と現在時点との往還に関するダイアグラムは、私たちの時間の推移がいかに現在と過去との間で揺れ動くかの例としても考えられます。

文学作品の時間航行はこれまでも多くの作品で描かれていますが、ネルヴァルの作品が先蹤となりプルーストを始めとする他の多くの作家にも影響を与えています。皆さんも、一人一人が時間への旅を楽しむとともに、一度、その時間旅行を作品にしてはいかがでしょうか。

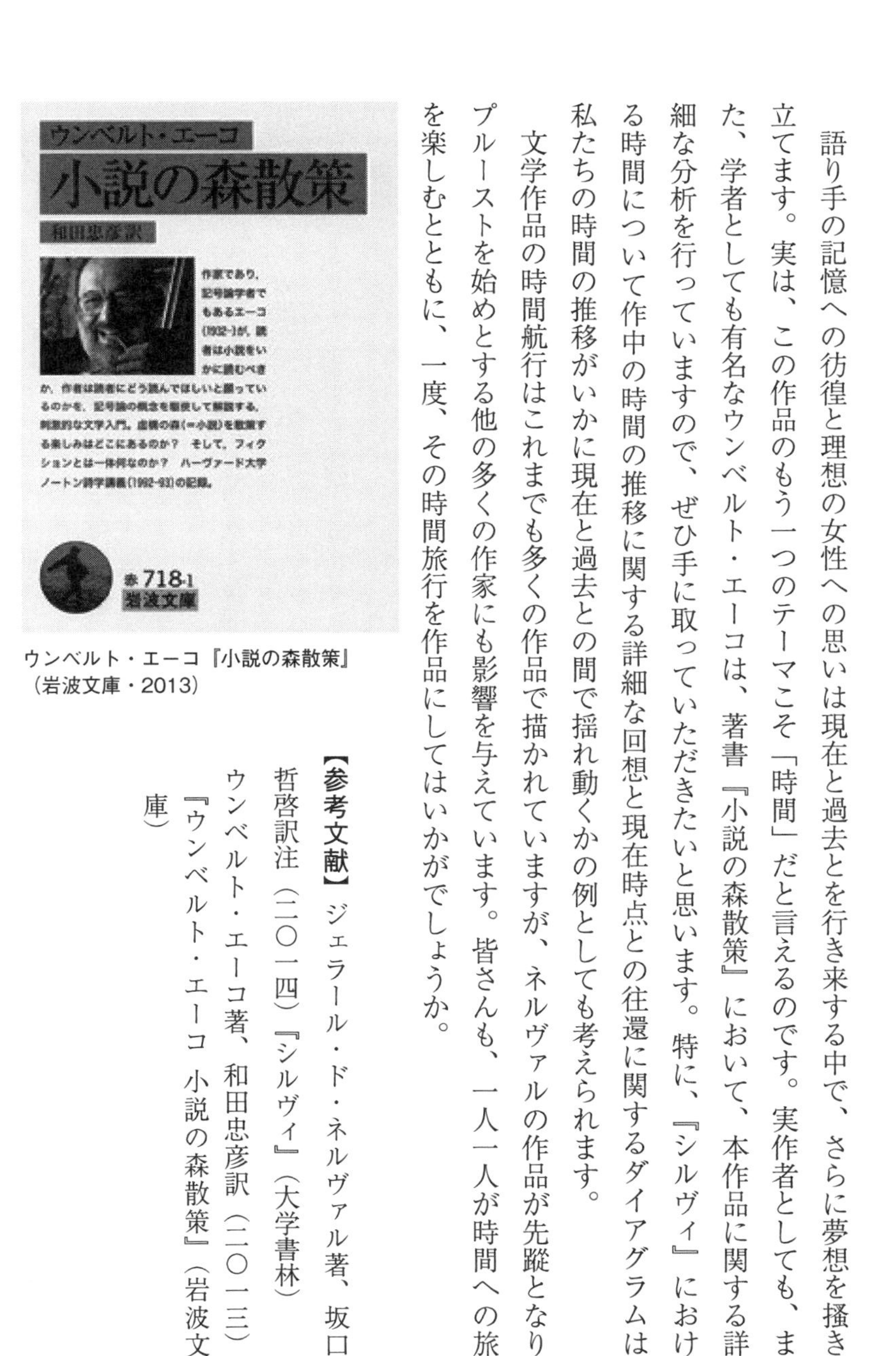

ウンベルト・エーコ『小説の森散策』（岩波文庫・2013）

【参考文献】 ジェラール・ド・ネルヴァル著、坂口哲啓訳注（二〇一四）『シルヴィ』（大学書林）
ウンベルト・エーコ著、和田忠彦訳（二〇一三）『ウンベルト・エーコ 小説の森散策』（岩波文庫）

17

国元東九郎『算数の先生』の魅力

小学校時代の楽しみの一つは、小さな図書室に行って本を探すことでした。田舎の学校でしたから教室一クラス分ほどの広さでしたけれど、今から考えても、その時は広く高い壁一面に据え付けられた書架の背表紙に圧倒されながらも世界が広がったような感覚を持っていました。中庭を見渡すことのできる図書室の図鑑や事典、そして、日本や海外の多くの物語に触れる機会があったことは、振り返ってみると本当に幸せなことでした。

その中でたまたま手にしたのが、『算数の先生』という本でした。特に、二倍、二倍と進めていくうちに途方もない数になってしまう数への驚きや、中学校で学ぶことになる三角比や合同についての実際的な学びに心躍らせた記憶があります。算数の面白さを知るとともに、小学校では教えてもらっておらず、中学校で学ぶ内容を知ることに、何か急に大人になったような背伸びをして遠くの風景が目に入ったようなくすぐったい快感を覚えたことを、今でも図書室の様子とともに思い出すことがあります。

本書の「課外講義」の章では、算数の先生である岡本先生のお弟子の深沢くんのエピソードが次のように語られています。

晴れた早春の日曜の翌日なので、月曜日はさすがに元気な中一の生徒たちにも、いささかつかれの色がみえていた。［…］

深沢くんは二階の窓から顔を出して、

「みんな見たまえ、玄関まえの植えこみの築山を。なかなか体裁がいいだろう。」

わざと問題をはぐらかしたいいかた。

一同は、「そんなことはどうでもよい。はやく研究問題を出せよ。」とさいそくする。

深沢「体裁のよい築山だが、あの築山がじゃまになって、校門から玄関まで何メートルあるか、測りたくても測れないなあ。きみたちは校門から玄関までの距離をだすことを知っているかい。」

「なあに、わけないや。ナワをひっぱればいいじゃないか。」と、こともなげに無知をさらけ出す連中のうちで、校長の息子の谷川くんは、さすがに、「地面に高低があるよ。」と一同をたしなめる。

そのうちに、才気に富んだ新保くんが、「それはきみ、応接間にかけてある学校の平面図に、門柱から玄関まで直線を引いて──あれはたしか1／60の縮図だから、60倍すればいいさ。」とぬけめがない。

これを聞くと深沢くんは、にっこりしながら、

「ちがうちがう。ぼくたちのは、じっさいにあそこで測って、じぶんで見いだそうというのだ。」

と、問題の意味を補足する。［…］

「でも、きみたち、ターレスは登らないでピラミッドの高さを測ったというお話を、先生から聞いたじゃないか。そうはじめから弱音をはくものじゃないよ。」［…］

国元東九郎（2011）『算数の先生』（筑摩書房）

この場面で用いられている合同の図形は、数十年たっても記憶に強く残っており、当時、算数から数学に向かう興味が深まった記憶があります。高校三年まで理系を目指してきたきっかけの一つは、この本と出会ったことです。後には、国語の先生の影響で、フランス文学に興味を持っていくことになるのですが……。

本書は、現在でもちくま学芸文庫で読むことができますが、知的好奇心を掻き立ててくれたあの日に還ることのできる一冊です。

なお、お世話になった福島大学附属小学校の図書室で国土社版の本書を見つけた時には、本当に嬉しかったことを申し添えたいと思います。二十一世紀の図書室でこの本と出合う子どもたちがいることに大きな期待をしています。

また、高校生の皆さんにお願いしたいのは、学ぶことの面白さを伝える書物を、今まさに学びつつある皆さん自身に書いてほしいということです。自分だけの「学びの物語」が一つ一つ生まれ、それらが広がっていくことを心から願っています。

【参考文献】国元東九郎（一九六四）『算数の先生』（国土社）
国元東九郎（二〇一一）『算数の先生』（筑摩書房）

18 隠れたベストセラー『学習指導要領解説』

隠れたベストセラーというと、小説などの文芸作品を考えるかもしれません。確かに村上春樹氏の小説や芥川賞受賞作品などは多くの方々に読まれ、ベストセラーになっています。今回紹介するのは、高等学校の国語科の先生方が必ず一冊は持っている『高等学校学習指導要領解説 国語編』（二〇一九東洋館出版社）です。

学習指導要領はほぼ十年おきに改訂が施され、それぞれの時代に合わせて新しい教育の方向性を示す役割を持っています。今回改訂されたのは平成三〇年（二〇一八年）です。これまでの学習指導要領解説国語編は、一般的な解説が多く、読み物として考える人は多くはなかったと思われます。しかし、今回の『国語編』はとても挑戦的であり、示唆に富んだ内容にあふれています。全ページが三百八十ページを超えるなど前回の解説に比べ大幅な増ページです。そして、記載内容も学術的な研究成果を取り入れた専門的な内容を加味しており、従来の一般的な教育用語の解説にとどまらない深い内容が示されています。

例えば、「文学国語」の内容については、次のような解説が加えられています。

イ　語り手の視点や場面の設定の仕方、表現の特色について評価することを通して、内容を解釈する

文部科学省（2019）『高等学校学習指導要領解説国語編』（東洋館出版社）

こと。

語り手の視点とは、詩歌や物語や小説などを語る者（語り手）の視点のことである。物語や小説が客観的な外部の視点から語られる時、語り手の視点から語られることになる。語り手が登場人物の一人であったり、登場人物の心理を説明したりするときに語り手の視点は「登場人物の視点」と重なる。このような語り手の視点を吟味することは、物語や小説などを深く理解することにつながる。複数の登場人物の「視点」の違いを意識することによって、多面的・多角的なものの見方を獲得することにもつながり、文章の深い意味付けが可能になる。

場面の設定とは、文学的な文章における状況や舞台の作られ方のことである。物語や小説の登場人物の言動や出来事の展開は、具体的な状況や舞台の中で行われている。その状況や舞台がどのようにかたちづくられているのかということを詳しく調べることは、その文章をより深く理解することにつながる。例えば、潜水具を装着した人物が海に潜るという「場面」で、人物に見えているもの（潮の流れに漂う海藻）、聞こえるもの（チューブを通して大きく聞こえる呼吸音）、匂い（マスクの防水剤）、質感とそこから受ける感覚（口にマウスピースをはめたときのぎこちなさ）、を調べるとその人物の置かれた状況が詳しくわかる。このように、文学的文章における場面の設定を分析することは、その作品のもつ意味を深く探る上で重要である。

ここには、ダイビングを体験した人にとって非常に分かりやすい内容が共感的に述べられており、文学作品を読むときに求められる資質・能力の一端が示されていると言えます。

このように、今後の高等学校国語科の在り方を高校生自身が知ることは、極めて意義のある学びの一環として捉えることができます。先生方が学んでいる書籍を、高校生の皆さんが手に取ることは、学びの深まりという点でとても意義深いことだと思います。「学ぶ」ことは、「学ぶことを学ぶ」ことによって、より深まると考えるからです。『高等学校学習指導要領解説』には、全教科及び「総合的な探究の時間」などがありますので、この機会に、ぜひ一度書店などで手にとってみてはいかがでしょうか。もちろん、文部科学省のウェブサイトから閲覧することもできます。学びの設計図を自身で作りあげる楽しみを実感することができるかもしれませんね。

フィリピン・マラパスクアにて（被写体は筆者）

【参考文献】 文部科学省（二〇一九）『高等学校学習指導要領解説 国語編』（東洋館出版社）

引用・参考文献

井口時男（二〇一九）『大洪水の後で 現代文学三十年』（深夜叢書社）
石沢麻依（二〇二一）『貝に続く場所にて』（講談社）
伊藤亜紗（二〇二〇）『手の倫理』（講談社）
今福龍太（二〇二一）『ぼくの昆虫学の先生たちへ』（筑摩書房）
小川洋子（二〇〇七）『物語の役割』筑摩書房
奥泉香（二〇一八）『国語科教育に求められるヴィジュアル・リテラシーの探究』（ひつじ書房）
勝倉壽一（二〇一四）『小学校の文学教材は読まれているか―教材研究のための素材研究』（銀の鈴社）
川上弘美（二〇一一）『神様２０１１』（講談社）
北村紗衣（二〇二一）『批評の教室―チョウのように読み、ハチのように書く』（筑摩書房）
木村朗子（二〇一三）『震災後文学論』（青土社）
木村朗子（二〇一八）『その後の震災後文学論』（青土社）
清岡卓行（一九七五）『手の変幻』（美術出版社）
国元東九郎（二〇一一）『算数の先生』（筑摩書房）
郡伸哉・都築雅子編（二〇一九）『語りの言語学的／文学的分析―内の視点と外の視点』（ひつじ書房）
是枝裕和（二〇〇四）『あの頃のこと Every day as a child』（ソニー・マガジンズ）

近藤ようこ・漫画、夏目漱石・原作（二〇二〇）『夢十夜』（岩波書店）
齋藤貢（二〇一三）『汝は、塵なれば』（思潮社）
斎藤隆介・作、滝平二郎・絵（一九七一）『モチモチの木』（岩崎書店）
佐藤浩一・越智啓太・下島裕美編著（二〇一二）『自伝的記憶の心理学』（北大路書房）
清水良典（二〇一六）『デビュー小説論―新時代を創った作家たち』（講談社）
関口貴裕・森田泰介・雨宮有里編著（二〇一四）『ふと浮かぶ記憶と思考の心理学―無意図的な心的活動の基礎と臨床―』（北大路書房）
瀬田貞二（一九八〇）『幼い子の物語』（中央公論新社）
立松和平作・伊勢英子絵（一九九二）『海のいのち』（ポプラ社）
田中実・須貝千里編（二〇〇一）『文学の力×教材の力 小学校編四年』（教育出版）
髙橋正人（二〇二〇）『文学はいかに思考力と表現力を深化させるか―福島からの国語科教育モデルと震災時間論』（コールサック社）
竹内常一（二〇〇五）『読むことの教育―高瀬舟、少年の日の思い出』（山吹書店）
田近洵一（二〇一四）『文学の教材研究〈読み〉のおもしろさを掘り起こす』（教育出版）
鶴田清司（二〇二〇）『なぜ「ごんぎつね」は定番教材になったのか―国語教師のための「ごんぎつね」入門』（明治図書）
照井翠（二〇二一）『句集文庫新装版 龍宮』（コールサック社）
夏目漱石（二〇一七）『定本 夏目漱石全集 第十二巻 小品』（岩波書店）

永島慎二（二〇一〇）『完全版 漫画家残酷物語』（ジャイブ）
新美南吉作・黒井健絵（一九八六）『ごんぎつね』（偕成社）
新美南吉記念館編集（二〇一三）『生誕百年　新美南吉』
西田谷洋（二〇一〇）『認知物語論キーワード』（和泉書院）
野矢茂樹（二〇一八）『心という難問―空間・身体・意味』（講談社）
蓮實重彦（二〇一二）『夏目漱石論』（講談社文芸文庫）
蓮實重彦（二〇一四）『「ボヴァリー夫人」論』（筑摩書房）
畑中章宏（二〇一三）『ごん狐はなぜ撃ち殺されたのか―新美南吉の小さな世界』（晶文社）
平塚徹編（二〇一七）『自由間接話法とは何か―文学と言語学のクロスロード』（ひつじ書房）
府川源一郎（二〇〇〇）『「ごんぎつね」をめぐる謎　子ども・文学・教科書』（教育出版）
福田淑子（二〇一九）『文学は教育を変えられるか』（コールサック社）
町田守弘（二〇二一）『サブカル国語教育学』（三省堂）
松本修（二〇二〇）『中学校・高等学校国語科 その問いは、文学の授業をデザインする』（明治図書）
松澤和宏（二〇〇四）『生成論の探究』（名古屋大学出版会）
文部科学省（二〇一九）『高等学校学習指導要領解説 国語編』（東洋館出版社）
安居聰子（二〇二一）『薔薇賦 昭和・平成八十五年』（光村図書）
吉田とし（一九七二）『きみはその日』（集英社）
鷲田清一（二〇〇六）『「待つ」ということ』（角川書店）

リブロポート編（一九八四）『リブロシネマテーク 小津安二郎 東京物語』（株式会社リブロポート）

アーノルド・ローベル作・三木卓訳（一九八七）『ふたりは ともだち』（文化出版局）

ガストン・バシュラール著、岩村行雄訳（一九八六）『空間の詩学』（思潮社）

ジェラール・ド・ネルヴァル著、坂口哲啓訳注（二〇一四）『シルヴィ』（大学書林）

ジョージ・オーウェル著・高橋和久訳（二〇〇九）『一九八四年』（早川書房）

スコット・マクラウド著、岡田斗司夫監訳（一九九八）『マンガ学 マンガによるマンガのためのマンガ理論』（美術出版社）

プルースト作・吉川一義訳（二〇一〇）『失われた時を求めて1 スワン家のほうへI』（岩波書店）

ヘルマン・ヘッセ・岡田朝雄訳（二〇一六）『少年の日の思い出』（草思社）

マルセル・モース著、森山工訳（二〇二〇）『贈与論他二編』（岩波書店）

ミッシェル・ドゥギー著、梅木達郎訳（二〇〇〇）『尽き果てることなきものへ―喪をめぐる省察』（松籟社）

ミハイル・バフチン著、望月哲男・鈴木淳一訳（一九九五）『ドストエフスキーの詩学』（筑摩書房）

Nankichi Niimi 作　Ken Kuroi 絵　Hélène Morita 訳　Éditions Grandir（1991）*Le petit renard Gon*

あとがき
～生涯の書物としての『ごんぎつね』～

新美南吉の『ごんぎつね』は私にとって忘れられない作品です。皆さんにとっても、生涯にわたる一冊の本との出会いが思索を深め、人生をより豊かなものとしてくれるものと思います。本書がその契機となっていただければ幸いです。


ふくしま創生の物語が、今、始まる。

学ぶことこそが、未来を創造する。

学ぶことによって私たちは未来とつながることができる。

震災にも負けず学ぶ瞳があった。避難所となった多くの体育館で肩を寄せ合いながら一冊の書物をくいいるように見つめていた小学生がいた。被災後の厳しい環境の中で、寒さに凍えながらも、大切にしていた教科書を心の糧として学び続ける高校生がいた。ふくしまの子どもたちにとって、学ぶことは、生きることであった。航海の安全を願う塩屋崎灯台の灯のように、学びが未来を照らし、未来を切り拓いていく。

学びが紡ぐ《ふくしま創生の物語》は、今始まったばかりだが、しかし、学び続ける子どもたちがいる限り、未来は、確かに、ここ《ふくしま》の地に萌すと信じてやまない。

（「東日本大震災からの復興へ」）

東日本大震災からの復興を目指した取組みはこれまでも、今も、そして、これからも一瞬の遅滞も許されないものと思います。併せて、本書を通して、復興が一歩でも進むことを念じてやみません。

【付記】

本書は、令和元年度（２０１９年度）～令和三年度（２０２１年度）ＪＳＰＳ日本学術振興会科学研究費助成事業（基盤研究Ｃ）「『深い学び』を目指した高等学校国語科における教材モデルの開発と授業メソッドの提案」（研究課題番号：１９Ｋ０２６９８研究代表者：高橋正人）の助成に係る研究成果の一部であり、関係各位に心から感謝申し上げます。

併せて、装画について、大塚貴士氏（福島県立安積高等学校百六期生）にお願いすることができましたことに感謝申し上げます。

髙橋正人（たかはし　まさと）略歴

一九五五年、新潟県南魚沼郡六日町（現南魚沼市）生まれ。
東北大学文学部卒、同大学院フランス語・フランス文学研究科博士後期課程中退。文学修士。
公立高等学校教諭、県教育委員会事務局勤務、公立高等学校校長、福島大学大学院人間発達文化研究科教職実践専攻（教職大学院）特任教授を経て、現在、仙台白百合女子大学人間学部人間発達学科特任教授。
専門分野：国語科教育論、国語科授業論、児童文学、近代文学。
所属学会：全国大学国語教育学会、日本国語教育学会、解釈学会、東北大学フランス語フランス文学会、福島大学国語教育文化学会。日本ペンクラブ会員。
著書及び主な論文：『文学はいかに思考力と表現力を深化させるか―福島からの国語科教育モデルと震災時間論』（二〇二〇、コールサック社）、「戦略としての知・罪としての知～『こゝろ』における「不可知性」について～」（『解釈』第四五九集、一九九三）「『夢十夜』における時間構造について―時制と相（アスペクト）をめぐって」（『解釈』第六九一集、二〇一六）、「深い学びの実現を目指した高等学校国語科授業の改善―「ボタニカル・アクティブラーニング」の試み―」（福島大学総合教育研究センター編『福島大学総合教育研究センター紀要』第二十四号二〇一八)、「『論理国語』における深い学びを実現するために―『読むこと』の学習における問いとパラダイムシフトをめぐって」(『福島大学総合教育研究センター紀要』第二十六号二〇一九)、「「文学国語」におけるアンソロジー教材の開発~是枝裕和「ヌガー」における〈世界の発見〉をめぐって~」(『言文』第六十七号、二〇二〇)、高等学校「古典探究(Advanced Classics)」における探究的な学びの深化に関する研究~「若紫」における視線・顔認識・フランス語訳・映像テクストをめぐって~(『福島大学人間発達文化学類学類論集』第三十二号、二〇二〇)、「『ごんぎつね』における〈喪〉と〈贈与〉に関する考察~フランス語訳 *Le petit renard Gon* との比較及び葬送儀礼を通して~」(『言文』第六十八号、二〇二一)

コールサック ブックレット No.1
高校生のための思索ノート ～アンソロジーで紡ぐ思索の旅～

令和 3 年（2021 年）11 月 24 日初版発行
著　者　髙橋正人
発行者　仙台白百合女子大学　人間学部　人間発達学科
　　　　特任教授　髙橋正人
発行所　株式会社 コールサック社
〒 173-0004　東京都板橋区板橋 2-63-4-209
電話 03-5944-3258　FAX 03-5944-3238
suzuki@coal-sack.com　http://www.coal-sack.com
郵便振替　00180-4-741802
印刷管理　（株）コールサック社　制作部

装画　大塚貴士　／　装幀　松本菜央

落丁本・乱丁本はお取り替えいたします。
ISBN978-4-86435-503-2　C0337　¥1000E